D0356804

WACKY
WORDSEARCH

WACKY
WORDSEARCH

Word-crazy puzzles to pack in your pocket!

ARCTURUS

ARCTURUS

This edition published in 2013 by Arcturus Publishing Limited
26/27 Bickels Yard, 151–153 Bermondsey Street,
London SE1 3HA

Copyright © 2010 Arcturus Publishing Limited
Puzzles Copyright © 2010 Puzzle Press Ltd

All rights reserved. No part of this publication may be reproduced,
stored in a retrieval system, or transmitted, in any form or by any
means, electronic, mechanical, photocopying, recording or otherwise,
without written permission in accordance with the provisions of the
Copyright Act 1956 (as amended). Any person or persons who do any
unauthorised act in relation to this publication may be liable to
criminal prosecution and civil claims for damages.

ISBN: 978-1-84837-627-4
CH001571EN
Supplier 03, Date 0413, Print Run 2656

Printed in China

CONTENTS

HOW TO SOLVE
A WORDSEARCH PUZZLE

Wordsearch puzzles can be great fun and solving them requires a keen eye for details!

Each puzzle is made of a list of words, which are hidden somewhere in the grid of letters above. Your task is to ring each word as you find it, then tick it off the list, continuing until every word has been found. Hyphens and spaces do not appear in the grid; just treat any word with a space or a hyphen as one long word.

Some of the letters in the grid are used more than once and the words can run in either a forwards or backwards direction, vertically, horizontally or diagonally, as shown in this example of a finished puzzle:

BADGER ✓   LEOPARD ✓
CAMEL ✓   OSTRICH ✓
GAZELLE ✓   PANTHER ✓
GIRAFFE ✓   RABBIT ✓
HORSE ✓   WOMBAT ✓

```
T T K O D C R T F O Z A G F R
I F W F B S M F K Y J P U L V
G B H M B H G T S D J O H N K
E P L I A B I Q S N D R O W S
R U N C A U E K E E U Q A Y S
L W F H O N U H C W R I D L T
I E C A P T A I N H O O K F Q
L R L E F R N N I W E H D N F
Y G O L R E U Y R M A I X A S
F R C Y L I L F P M V L G C E
X E K U Y R R R R T K E R U L
K V G Q U R E A W M O R E O T
J E Y C P N O O T R A C E Y O
H N C R D E Y T G E H R N M O
E X B E Y Q U E S U S A Y S T
```

CAPTAIN HOOK
CARTOON
CLOCK
CURLY
GEORGE
GREEN
JOHN
MARY
MICHAEL
NANA

NEVER GREW UP
NIBS
PIRATES
PRINCESS
STORY
SWORD
TIGER LILY
TOOTLES
WENDY
YOU CAN FLY

BALL GAMES

```
        J K S V B
      L L Q R Q F B N A
      A V S A T O L E P E L
    B Z L C E O G T E L S I L
    X W K S T N B T L T S S B
  A O E V B I A A E B W O O Y L
  B T D A L L N T I I L R C E T
  S C L W L Q A N M G J C C K S
  U L O R U G B Y E F O A E C N
  L B R E A S H I N T Y L R O E
    I O B B A S E B A L L F H
    A Y U L L A B T F O S I S
      L X L M U S E V I F T
      L R E Q U S Y Z R
        B S Q F B
```

BAGATELLE	NETBALL
BASEBALL	PELOTA
BOULES	PETANQUE
BOWLING	RACKETS
BOWLS	RUGBY
FIVES	SHINTY
FOOTBALL	SOCCER
GOLF	SOFTBALL
HOCKEY	SQUASH
LACROSSE	TENNIS

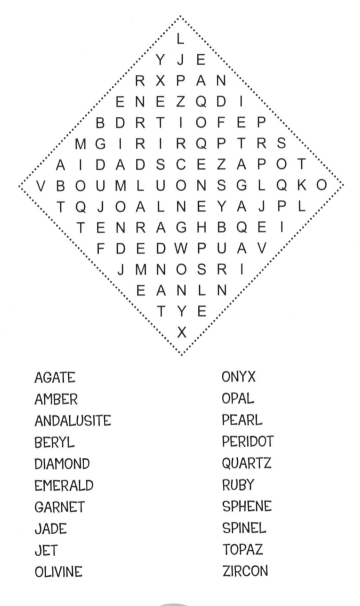

```
              L
            Y J E
          R X P A N
        E N E Z Q D I
      B D R T I O F E P
    M G I R I R Q P T R S
  A I D A D S C E Z A P O T
V B O U M L U O N S G L Q K O
  T Q J O A L N E Y A J P L
    T E N R A G H B Q E I
      F D E D W P U A V
        J M N O S R I
          E A N L N
            T Y E
              X
```

AGATE

AMBER

ANDALUSITE

BERYL

DIAMOND

EMERALD

GARNET

JADE

JET

OLIVINE

ONYX

OPAL

PEARL

PERIDOT

QUARTZ

RUBY

SPHENE

SPINEL

TOPAZ

ZIRCON

```
B Y Q E U D Y Z P S F G Y O Q
D T B S S R Z L Y P P A H F L
S Z W R Q I A O G Y M D L C S
X N S U Y T R I P C L M O R C
S P J N E O F P A W C I O O D
F D P S O T M T R V H O M J F
G O R Y S I S S K U D A C A E
Q G E A C S T K G T S H A B F
M I S X C F N A U N A A T L E
V X E O R I C O R G O T B Q M
J U N N X A S G O O A S J A E
X H T V K H Z U I L C M K N H
H Y S E B T S O M V L E E L T
N W O L C O D X N G C A D S F
M L S T S E U G A D C O B S R
```

BALLOONS	HAPPY
CAKE	HATS
CARDS	MUSIC
CLOWN	OUTDOORS
DECORATIONS	PARK
FAMILY	PLATES
FOOD	PRESENTS
GAMES	SONGS
GIFTS	SURPRISE
GUESTS	THEME

```
W S X K L L D A R I N G V S S
A U Q V Z I D Z F X D W W U U
H O B K E H V L V R P U D O O
J U A U Y W R E O M X I N R I
S T H E R O I C D B P L O E C
U E F Y S T U G V E K T S G A
O P O R B K V G R K R H U N D
E M O S E R U T N E V A O A U
G I L M I D N Y G B K Y D D A
A H I U P I K S U O L I R E P
R Q S W Y S U N C E R T A I N
U Y H A I X E P N S T T Z I H
O Y D R R E C K L E S S A S I
C Y C N A H C M I M X B H I I
E N T E R P R I S I N G R X B
```

AUDACIOUS	HAZARDOUS
BOLD	HEROIC
CHANCY	IMPETUOUS
COURAGEOUS	INTREPID
DANGEROUS	PERILOUS
DAREDEVIL	RASH
DARING	RECKLESS
ENTERPRISING	RISKY
FOOLISH	UNCERTAIN
GUTSY	VENTURESOME

```
S E R A U Q S E T H G I N K D
S N V W X I L C N I S R H E R
X N L H C T B H W Q B E Z K K
Y A W O S G U A R O P M E T P
C P F A U F Q L K H B L A C K
N H C H P D V L N I L R H G U
C O K E Z D W E W E N C P K P
H K I N L I H N Y F H G F O I
E K S P C R I G N P R A H O D
C Y E A M Z T E U E D S K R W
K Z V S N A E R T U I P A M G
M I O S T U H S I B E O V N O
A F M A Q S A C U N B T E G E
T B D N A M A G F P G R O Y G
E L U T N E M A N R U O T G U
```

BISHOP

BLACK

BOARD

CASTLE

CHALLENGER

CHAMPION

CHECKMATE

EN PASSANT

GAMBIT

KING

KNIGHT

MASTER

MOVES

PAWNS

QUEEN

ROOK

SQUARES

TEMPO

TOURNAMENT

WHITE

```
S C F T B B Q V G D B K K W F
S L I S S Q L T P E S G O D H
H L A M B S S E I T I E D A T
E X A O T Q O L G H S O R K K
E R T S F Z B Q L E F X A C F
P I M Z K Q V T E O J I K A Q
O C P N U C Q G T L T A E G B
N S A I E U U W S W T O S M B
I N I L G R R D S K J T P F S
E E U Y V S Z P A K C U A T W
S K P Y S E O T M E Z I A C E
Z C H R D K S T A C H O H T B
F I K R I Q V B L X G V D C J
J H L X K D H N L T A Z Z Z F
E C A O B L M L G H O R S E S
```

CALVES   GOATS
CATS   HORSES
CATTLE   KIDS
CHICKENS   LAMBS
CHICKS   LLAMAS
DOGS   PIGLETS
DRAKES   PIGS
DUCKS   PONIES
FOALS   RAMS
GEESE   SHEEP

GET IN SHAPE

```
K L C D M Z J V O Z B V C Y V
Y C Y L I N D E R N S R O V Q
X R A V Q O P U N R H Y O V M
K V U V Z M R O M O E Q B T R
O C N R H J I E C K G F R Z M
V L C O Z Z S Q H T U A G Z D
R O P U G J M Q W P A U N I T
P B I N P A L K D G S G M O G
O L K D O G T D I F E A O U N
L O R U C G I N Z Z R U S N V
Y N U V J O A S E Y A C T H G
G G E D B S O X P P U Q O I B
O E B U C I L U E Q Q N N N U
N H C P H E L I X H S J G A E
E L G N A I R T V E L C R I C
```

CIRCLE	ORB
CONE	OVAL
CUBE	PENTAGON
CUBOID	POLYGON
CYLINDER	PRISM
HELIX	PYRAMID
HEXAGON	ROUND
NONAGON	SPHEROID
OBLONG	SQUARE
OCTAGON	TRIANGLE

```
D H O W Y K C I K E D I S T V
D E T D D Z D Y E Q E H S W O
R E D A R M O C O C O I K T O
X U X M O O T D I O L Y L L A
B E G N I V O L A A S H L W M
E K B O W V P M Y E W O L A A
T E V R E M P O M T V N E E S
A G C R O F L W E A H Z T W S
M U H C E T A V L M T J A C O
P L C X Z K H M W Y A E M O C
L A U W F B I E I A X K L H I
E P N I D Q H B R L O K U O A
H N Y N O R C K D P I J O R T
B E D F E L L O W T U A S T E
P P F U M J K N A S I T R A P
```

ACCOMPLICE
ALLY
ASSOCIATE
BEDFELLOW
BROTHER
BUDDY
CHUM
COHORT
COMRADE
CRONY

FAMILIAR
HELPMATE
LOVING
LOYALIST
PARTISAN
PEN PAL
PLAYMATE
ROOMMATE
SIDEKICK
SOUL MATE

```
F F A H C F F I H C D L O T E
E J F S W W O R C D E D O O H
I G P Q K A U X J V Z M B R O
L R L V X U L A P W I N G E B
L N N E R E L L E V O H S H B
I P I K T Y X E C X I W C C Y
A L G B F S S I M R G A U T V
C N H E O O J A M B E C H A U
R N T L O R G Q J X K E N C L
E Q I G S P A R R O W I P R T
P A N A I G I Y O D T L R E U
A B G E L U S O P R D K F T R
C F A E F L S H A C G I U S E
V V L U D L R M S K D T M Y E
G K E L P R C J D O V E Z O R
```

CAPERCAILLIE	LAPWING
CHIFFCHAFF	MAGPIE
CUCKOO	MARTIN
DOVE	NIGHTINGALE
EAGLE	OYSTER-CATCHER
GOOSE	ROBIN
GULL	SHOVELLER
HOBBY	SPARROW
HOODED CROW	VULTURE
KITE	WALLCREEPER

```
E I V F Q W L P M C B B R S H
O I D O V I K M F O B R L E M
E N R S S E I T R A P C F S A
U T D E E A I K S C I C L R G
H W A R E P B V N N P R Y U I
C A T I D V R B A M T W I C C
H O U F T V I T A S K L N E B
P T F N V I A L M T P V G A S
Z Y M O T S N B E Y A E T L E
I Y G B V I H I K Y D S L J D
D M C S K M N O C E E O I L D
U W P P A G L G V Z Q F H H S
Z J M S F E F I G D V J O N I
N U K A P P L E B O B B I N G
P S L E V I T A T I O N O W Y
```

APPLE BOBBING	IMPS
BATS	INITIATE
BONFIRES	LEVITATION
CURSES	MAGIC
DEVIL	MASKS
EERIE	PARTIES
EVIL EYE	PUMPKIN LAMP
FAIRIES	SABBAT
FLYING	SATANIC
HAUNTING	SPELLS

```
Q U V V Y K A I G S K B I T Y
E S N E T T I M T V I N T R H
R S B S R M A O S C E E Q O Y
E R U H U B O T G H E S M U S
L E U O Z B S A S H U U T S J
F N R E T A N O R P A O A E N
F I G S M T T C W N R L A R R
U A W I R N S T F S N B J S E
M R O F I N U S K E A A L U V
J T W K A R Q I A A C W E I O
P G C E E M R A A K M Y U S L
O A J Z M T T W E C H H O A L
M B A A N K U T N W R C S X U
X L M X Z M S K K C K S E A P
B D S P E F R A C S D A E H Y
```

APRON	PULLOVER
BLAZER	SHOES
BLOUSE	SKIRT
BOOTS	SOCKS
HEADSCARF	TRAINERS
JACKET	TROUSERS
JEANS	UNIFORM
MACKINTOSH	VEST
MITTENS	WAISTCOAT
MUFFLER	YASHMAK

```
C M B I N G T R E M B L E Y N
D G C X D D V B Z M M K C N K
T I U L F M K L F M B I C O E
S E C W A H E I O M T Q K T R
S L E I I I O Z C C R X S S E
E P B L C N C Z R W M Z G H F
N M I D S L T A B S H I V E R
L I B C N E E R L T I B A T I
O P N J E A J D Y G F A D X G
O E I X Y B Y J D B P I K N E
C S P W J L E T P O L A R B R
N O P L L V S R S E W S G L A
B O Y I I O J X G I R H G E T
P G H F R E E Z I N G X Z A O
Y C M F C P Q I C Q B P B K R
```

ARCTIC
BLEAK
BLIZZARD
CHILLY
COOLNESS
FREEZING
FROST
GELID
GLACIAL
GOOSE-PIMPLE

ICEBERG
ICICLE
NIPPY
POLAR
REFRIGERATOR
SHIVER
SLEET
STONY
TREMBLE
WINTRY

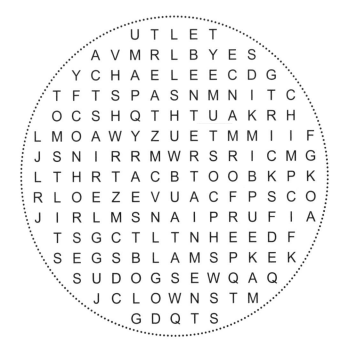

```
        U T L E T
      A V M R L B Y E S
    Y C H A E L E E C D G
  T F T S P A S N M N I T C
  O C S H Q T H T U A K R H
L M O A W Y Z U E T M M I I F
J S N I R R M W R S R I C M G
L T H R T A C B T O O B K P K
R L O E Z E V U A C F P S C O
J I R L M S N A I P R U F I A
  T S G C T L T N H E E D F
  S E G S B L A M S P K E K
    S U D O G S E W Q A Q
      J C L O W N S T M
        G D Q T S
```

ACTS	JUGGLER
CARAVANS	KIDS
CHIMP	MAKE-UP
CLOWNS	PERFORMANCE
COSTUME	SEALS
DOGS	STILTS
ELEPHANT	STUNTS
ENTERTAINMENT	TENT
FEATS	TREAT
HORSES	TRICKS

```
C G L J V F B L V H U G Y S J
V D A Z I Y G S N E E X C R Y
K E U D C W I N L S L P S P J
N M G N B O B C T A O T X H U
N E H H K F W I L U T X S T H
T W B N N T C E T K S H J E B
E W G F I U G S R R M L N T N
U G Z J L W S E I T E Y H O I
W M N A B T V F C F H M K D R
K N T I R C D R R N O G B Y G
N E T E R H Z O E W A Q W L S
O R T N E C N W W A I L Q N E
U C S H R U G N O Y V N G P B
H D N E B O M H L W K M C R S
B P M V Z T N F G B T S L E Z
```

BEND	GRIN
BLINK	LAUGH
COWER	NESTLE
CRINGE	POUT
CRY	SHRUG
FIDGET	STRETCH
FROWN	TOUCH
GESTICULATE	TREMBLE
GLANCE	WINCE
GLOWER	YAWN

```
S U I W L A D L D K P U P K Y
W E T X A U L C X G P B A U V
C L H Y D E N B F U B A G E H
P V K V S I Y H E B U R W K K
U I X S W E C R N R Y T J F C
G S U E S Z E K I E T H X E F
S R E I P G E O R G E O L T J
N U D T I B K G G X R L N P A
P E Y N E I L X E V I O A E S
X B A A P E H D R V L M I T O
D L V R S Q W K E K U E M E N
D H P G S C D N P P E W A R E
D Q V M A F T B A C Q V D Z J
A M E D U A L C U O L D I K R
U D X Z L H X E L W D O B N I
```

ALBERT	KEVIN
BARTHOLOMEW	NEIL
CLAUDE	NEVILLE
DAMIAN	PAUL
DICK	PEREGRINE
ELVIS	PETER
GEORGE	PIERS
GRANT	REGINALD
GUY	RUSSELL
JASON	SAUL

```
        E R Y P T
      N A U S T R I A K
      R A C Y O T U I T H R
    W S W R Y Y G O L Q B A X
    E R I T R E A A N A Y U G
  M D A A O G I C D E I V T Y K
  D E G T Y H I N E M D A U V F
  I J X P Q C A I N E M R A T M
  T O T I A J W Q M Y R J D O K
  E T N R C A V E A M D G N Y Q
    Z Z A L O L V R W X G A T
    I I A D I W O K A O J W Y
      M L H U Z L B L N W R
      C E B S Y I E Z G
        B T A V S
```

ARMENIA	MALAWI
AUSTRIA	MEXICO
BELIZE	MONGOLIA
CHILE	RWANDA
DENMARK	SUDAN
EGYPT	SYRIA
ERITREA	TAIWAN
ESTONIA	TUVALU
GREECE	WALES
GUYANA	YEMEN

SHARP OBJECTS

```
J P R E E B N Y Q J W Z D R W
B O R F N E L U M V Q F J C F
Z I I D E I A A W C A R Q V L
I N U D E T P B D N G E K S E
K T L X O D P U G E N C S R I
F E E R R U N S C I I M I X L
G D J O L U O M P R A H S U P
O G W Y L I I S P S O Z N I R
H S W P I J T S F G B P N N N
E C F Q U T C V W Q U S U R N
G A W K Q L E O R A Z O R O G
D C H L P C J M O Y L P Q H Y
E T A Y L L O H P T U C Z T P
H U J M S C R A T C H G B D F
U S V L V Y P D E B F F F H B
```

BLADE	PORCUPINE
CACTUS	PRICK
CLAWS	PROJECTION
FANGS	QUILL
HEDGEHOG	RAZOR
HOLLY	SCRATCH
KNIFE	SHARP
NEEDLE	SPINE
PINS	SWORD
POINTED	THORN

CAKES

```
          X T M P D
        S U L T A N A O U
      N P B T N A R R U C E
    D Y U A M A R Z I P A N A
    K A R B V G I O C E W G H
  Y O H M I A L C G I X D D C L
  P O U N D A E O G N V V A O A
  S I M N E L F S V G Z Q C M R
  M E R I N G U E L A K P H C D
  A B L A C K F O R E S T E M Y
    L V C J W A T O A H A E F
    M A R B L E O G O S C S V
      T Y S F R U I T L L E
        S E L C C E H Z P
          R H R Q Y
```

BLACK FOREST	LAYER
CHEESE	MADEIRA
CHELSEA BUN	MARBLE
CURRANT	MARZIPAN
EASTER	MERINGUE
ECCLES	MOCHA
FAIRY	PAVLOVA
FRUIT	POUND
ICING	SIMNEL
LARDY	SULTANA

```
N O C B B L L I T W I N S O L
I H G B E J O Y N T L R E I C
A G W O F T K V P I K J A D O
R U Y A V X A P V V M O O N N
I N B N T M I U T K L E R Q J
E W C G A E N P R X C I G R U
S W K R V S R D Y U U V C U N
D Z P L A N E T S Q S F A Y C
J S I U I B E M P N P R P A T
X U S G J U L V V S B U R P I
K N C P T I Y L Q I A C I B O
F R E L O G D E L V H M C G N
K I S N B N D E Z E B R O G E
T T R A Q O T H R A A A R F M
C E X E A D T W J W T T N S L
```

ARCHER	LIBRA
ARIES	LION
CAPRICORN	MOON
CONJUNCTION	PISCES
CRAB	PLANETS
CUSP	RAM
FIRE	TAURUS
GEMINI	TWINS
GOAT	WATER
LEO	WHEEL

```
I S O E C H E E T A H B S O E
O X K O I N J N D M F G N I I
I N M I J I Q L O J G I G Z S
P E A E P K Q R L U F G G N S
T S B F C P R C M A M I Z U A
F A A L N I Y D P M A R T N L
B O V R S A E E R E U Y L D K
M U M H E R V M Y L B R Y U H
I M S D F V V D N A B M R L F
O N Y J U X L P H S F N R A Q
N I T N I T N I R B Q B W E Y
T R I G G E R M S C E N O F D
B D X F L I C K A J O N U H E
H E R C U L E S Z V X R J B O
Z D C H A M P I O N Y U E I O
```

BABE	MORRIS
BENJI	MR ED
CHAMPION	MURRAY
CHEETAH	NUNZIO
COMET	RIN TIN TIN
FLICKA	SALEM
FURY	SILVER
HERCULES	SKIPPY
J FRED MUGGS	TRAMP
LASSIE	TRIGGER

```
K A T E E H S D N U O R G V M
D M E F H R C R R C O M Q L M
L E D C A S K A D Y L C W K C
N G R I F B T U A Q O C P A M
B O N I B U T A N E E W U J E
T E E H C C M W M D C O W V S
U L V D H B U T G A V U V G S
D C H O I B G S P I L E E H K
L W V L T T S Z B N W P L N I
J E G I N S E C T S N S A D T
N M D G N E Y N B W L D S L P
P K G T J J K W T L Q E R Y F
O N S R O O D T U O P R J L X
T E D I U G Z A R O Q C K P P
S B D C O U N T R Y C O D E G
```

BIVOUAC

BUTANE

COUNTRY CODE

DUTCH OVEN

FIELD

FLAP

GROUNDSHEET

GUIDE

INSECTS

MATS

MESS KIT

MUGS

OUTDOORS

PEGS

POTS

RAIN

ROPES

STOVE

TENT

TORCH

DISTANCE

```
Y V T L B E E R U S A E M F E
B E Y O N D L X X S M S B S A
W G M Y O T L I N D D P O C Y
J Y Q O K F N Y M N W L O N P
E W N J H R B E A C C I Y J G
Z C F X O T F H M C X L D K V
G T A O P U A D L E A J O T T
I N D P R L R F C T C H T C H
S C D L S A H C U O D A M J W
Z B O S Y P Y Z B F M E L W E
R N D I N O M V I S S V F P T
G F M Z L G T G T L O U P Q O
U O Z E F K E T E R N I T Y M
T N E T X E R A T C E H T V E
W Z T H I C K N E S S M Z S R
```

BEYOND	MEASURE
CLOSE	MILE
CUBIT	PLACEMENT
ETERNITY	REMOTE
EXTENT	ROOD
FATHOM	SIZE
FOOT	SPACE
FURLONG	THICKNESS
HANDS	WIDTH
HECTARE	YARD

```
E Y F V C G W G W F B C S F J
Y O Q V N Q N Y R E O P G E I
C G S I C I S U M O R T N F T
P W I O G P G A K R I D I N G
H K D N Z M R E E W G N L J G
S U I C A C R T V C A U G D V
J S U K A Y G Z R Y M N G A U
J G I M U W G N I V I D U C S
O N S G N I T T I N K S J T D
G I U Z M B G J O K K I R R K
G W X P G Z O O S A I A M A N
I O P F I N L C T S D H S V A
N R R S C L X I G E E X F G N
G H C Y A V N S T F T H O I P
E Y H B B G V W B Z M Y C R Z
```

BALLOONING	MACRAME
CHESS	MUSIC
COOKERY	ORIGAMI
DARTS	RIDING
DIVING	ROWING
HIKING	RUG MAKING
JOGGING	SINGING
JUDO	SKATING
JUGGLING	SKIING
KNITTING	YOGA

```
        A  I  N  F
     A  W  E  P  T  S  C  L  C
  W  A  A  I  I  N  R  M  N  A  V
  V  Y  G  T  X  A  O  E  R  B  L  G  Q
  Z  U  C  T  F  W  H  K  E  M  O  H  S
S  E  H  U  T  D  S  C  A  F  C  I  X  U  W
X  H  R  C  S  L  E  N  E  E  F  K  S  P  C
Q  F  O  S  A  L  N  E  P  R  Y  J  I  M  U
B  G  P  O  K  Z  T  B  S  E  Y  R  Z  G  N
Z  F  G  C  T  X  L  F  D  E  T  E  N  M  R
  D  A  B  B  I  B  Q  U  S  Y  I  E  E
  T  Q  Y  F  U  N  J  O  H  S  M  N  T
  U  V  T  G  S  G  L  O  A  N  P
     S  I  D  E  S  L  G  A  Y
        D  R  A  W  B
```

AWAY	LEAGUE
BANNER	LOSING
BENCH	LOUDSPEAKERS
CROWDS	PITCH
DRAW	REFEREE
FANS	SHOOTING
FLAGS	SIDES
GAME	STRIP
GOALS	TACKLE
HOME	TURF

```
L E P T A N X W W O O D E N S
U N S K I L L F U L B K F K L
R A Q R Y L N I A G N U E V O
E H C U A G L I R U S T I C U
U I U N Z O N A H F X P C F C
U N N F R E C H T U O C N U H
T A U I P E Y U I N E L W O I
F P A T L S S F O E R U A C N
R T W E O U A I R N Q M M R G
V O S W G P E M D V L S U F I
M S U A E P N A A I U Y M E R
K K W G R D U M L A E W F N W
L K F B H N U C A B C I O L X
Y A X M T V I R M L W M K L J
W N E I Q A F O C E O G W S S
```

CLUMSY	RUSTIC
COARSE	SLOUCHING
GAUCHE	SLOW
GAWKY	UNCOUTH
GRACELESS	UNEASY
INAPT	UNENVIABLE
INEPT	UNFIT
MALADROIT	UNGAINLY
ROUGH	UNSKILLFUL
RUDE	WOODEN

```
N A I R O T C I V S Y D N E Y
M Z U J E D U X G F P N G S U
A S Q R V P L N N S L M X X D
H T R E P E I E O N I B I Y A
T V G Z S L D Y O R S V Z A K
R W F O R P H I S N M F R B A
O G L A H M E T A Q O Z A S K
N K D V U C C R A L R R H K A
K A R R A T H A A S E Q A R D
J U R Y A K C A M N M D H A I
K A R I C H M O N D C A A H J
Y D R A U R U L U Q P E N S V
E L P Z N O V B Y H A G L I P
Y G R Y N D B U B O U Z T A A
D D O F R O A V R G X T D W P
```

ADELAIDE	MURRAY
DARLING	NOOSA
DUBBO	NORTHAM
ESPERANCE	PERTH
KAKADU	RICHMOND
KARRATHA	SHARKS BAY
KURANDA	SYDNEY
LEONORA	TASMANIA
LISMORE	ULURU
MACKAY	VICTORIA

```
Q P N L P H L N H I G F D T C
M W A G A L E J U C Z T X E T
K S A U C E D L F F I S P E G
R L X Y D X K I E H C R S W W
X R I F O A I B G M B W D S M
K E I M U W R J E E A M M Y A
A D C J B I D K Q V S R H S M
R W E J L R F U D G E T A R F
Z O C C E H E G A N S R I C G
Z P R T Z A K O A D P R A V A
X N E B V J C Z C H F Y A G E
P L A I N O D A M A F F P B E
E W M O C H A C P M K R I R W
S G G E X Y H E M Y U E T H S
C U J I C H I P S C A N D Y H
```

BARS	EGGS
BEVERAGE	FUDGE
CAKE	ICE CREAM
CANDY	MILK
CARAMEL	MOCHA
CHIPS	PLAIN
COCOA	POWDER
DARK	RICH
DIGESTIVE	SAUCE
DOUBLE	SWEET

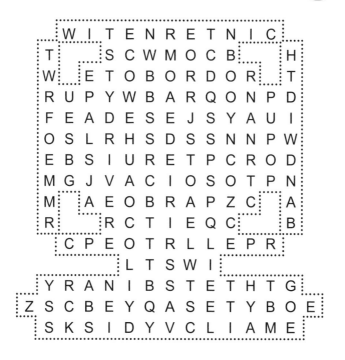

```
W I T E N R E T N I C
T     S C W M O C B       H
W   E T O B O R D O R   T
R U P Y W B A R Q O N P D
F E A D E S E J S Y A U I
O S L R H S D S S N N P W
E B S I U R E T P C R O D
M G J V A C I O S O T P N
M   A E O B R A P Z C   A
R     R C T I E Q C     B
  C P E O T R L L E P R
        L T S W I
  Y R A N I B S T E T H T G
Z S C B E Y Q A S E T Y B O E
S K S I D Y V C L I A M E
```

BANDWIDTH	OBJECTS
BINARY	POP-UP
BITS	PORT
BYTES	PROCESSOR
CABLE	PROPERTIES
CRASH	REBOOT
DISKS	RELIABILITY
DRIVER	ROBOT
EMAIL	STORAGE
INTERNET	USER

```
T R D P K C O L D T A P W A C
C D K N S C I T E M S O C I H
H A I R B R U S H P W U W R R
K S S K N A Y X N S L T O I E
C D R E B O T S Y L U U T N D
U X E L T I D H H W Q L G G W
D K P L E S D H T A Y F F C O
R F P N Q G A E J O M Q Q U P
E L I U L F R P T G W P F P M
B A L R O P J E H V C E O B U
B N C O A K A G W T B T L O C
U N L L W Z Q T G O O R Z A L
R E I S T K O L T P H O T R A
O L A R D Q I R F O B S T D T
P J N C I S T E R N H M A Q H
```

AIRING CUPBOARD

BATH-TOWEL

BIDET

CISTERN

COLD TAP

COSMETICS

FLANNEL

FLUSH

HAIRBRUSH

HOT TAP

LOOFAH

NAIL CLIPPERS

PLUG

RAZOR

RUBBER DUCK

SHAMPOO

SHOWER GEL

SINK

TALCUM POWDER

TOOTHPASTE

```
E Z E E R B C L A E S T V B K
B W X R G W D F K P G O R J K
M F S Y N I U G U M U E E T Q
E Y Y H S N Y O U V A X S K X
L V O P D D U R B T P A S M K
O M L E N T Q E H O H I T E G
D A B Z D E Z E S K E R O R V
Y U L O K J N E U J L T Q A E
G F O K Y D W U H G B I I R N
U R W O Q E Y O T M B G Q A T
S E H O X W B G L B U H H X I
T S V C R Y K U R F B T K H L
K H R S A A G J T A J D F S A
A T M O S P H E R E C T S H T
L P X U K M O Z N M S E P Q E
```

AIRTIGHT	GRACE
ATMOSPHERE	MELODY
BLOW	OUTDOORS
BREATHE	OXYGEN
BREEZE	SEAL
BUBBLE	TUBE
DISPLAY	TUNE
EXPOSE	VENTILATE
FLOW	WIND
FRESH	ZEPHYR

FELINE FRIENDS

```
Y U H F N Z A O P H H J S H W
I T A E Q F K L Y Z H P E H S
S U E O E U L T E E S L I A T
U U V L S A T R T K R S G B L
Q I I H B I I O L D K D G P H
C X N R K T M R C E J O O T F
U Z U S S C V P R A P B M P P
R F L E A S Y S E O T R S I Z
I V H T A W J C S N A F T N Z
O T P S Z K Y E B W J J L T P
S R H Z E Z T C I C A A G A D
I P A W S U W J R Z J L X C P
T R I O C J D I D Y T N C B S
Y U R I X I J P S R A R X S K
B A S K E T U M P M R B N F B
```

BASKET	HAIRS
BIRDS	KITTY
CATFLAP	MANX
CATNIP	MOGGIES
CLAWS	PAWS
CURIOSITY	QUEEN
CUTE	TAIL
FELIX	TOMCAT
FLEAS	WARMTH
FUR BALL	WHISKERS

```
M C Z V O P B E T C Z W P M T
G E D Q N U R W A U I Y Z Y E
R O T O Q O G P V D A M P L E
A P P E L N A I E M E O F V Q
M R L A T C G T B S A O Y D I
P V G E I N E X U B E R A N T
A E D O N G E F B R O A D G A
N L U E R T O I P M T L N K B
T S A A N R I V C H F I C G R
V S L V P O V F G I M Y K H I
F G V I I C U E U E F U L L C
K G R E R S T G E L A F G J H
L F Z E W U H T H H G F U I F
Y C G R A N D I O S E W F S R
V V O K T T L B Z Y B Z J N Y
```

AMPLE	LARGE
BIG	LAVISH
BROAD	PLENTIFUL
CAPACIOUS	PROFUSE
ENOUGH	RAMPANT
EXUBERANT	RICH
FULL	ROOMY
GALORE	SUFFICIENT
GRANDIOSE	TEEMING
GREAT	WIDE

```
F U V H U L R V J U V T S C N
T I E G G F E G I D S U O Y N
J P O F Y L D T L E B S F I Q
N L D O L C B E V T I P L W K
D O A I R A H A V R A E S P F
D C S F H E L I I R J H A T A
D H H S Z S S S H S K S Q I Z
T N U D W A E D B U C T Q U H
E B R B S S I S I X N A A C W
J K F I K A T U S X F H R F R
V A V W S Z S T J W T K A A G
N B Z Y A R A W A H P O G V B
F G U I M N N M U D I E M Q Q
S T Y S G P Y R A M I D S B A
U S Z X W B D E U I T J F E S
```

ASYUT	MASKS
DASHUR	MEIDUM
DYNASTIES	NILE
EDFU	OSIRIS
EL-LISHT	PYRAMIDS
GIZA	SAQQARA
GOLD	SCARAB
HATSHEPSUT	SLAVES
HAWARA	TOMBS
ISIS	USHABTI

```
        P A T C E
      S E V B E I O L C
    K S O N F A U R O F E
  E E L E E O F K G A K I P
  K V I W I U I U E N M I R
H A F R P P N L L D D I I E T
P C S F G E Y W M G M R R S S
N T R D U L C E O O A U I E U
G R I W C P R N Z R U B L C M
E O A Q W P M K I I B S A P E
  H L E M A R A C M L A S Z
  S C C H E E S E C A K E E
    E J S I C E C R E A M
      V E A D N U S C G
        Y L L E J
```

APPLE PIE	MERINGUE
BAKED RICE	MINCE PIE
BROWNIES	MOUSSE
CARAMEL	PAVLOVA
CHEESECAKE	PLUM DUFF
COOKIES	SHORTCAKE
CREAM PUFF	SUNDAE
ECLAIRS	TIRAMISU
ICE CREAM	TRIFLE
JELLY	ZABAGLIONE

```
E Q U H M W L N Q E W B Y H Q
K L A E T S G Q Y O L I F N E
I G C F S O Z G R A R P F W G
R M G R A R E H C T I P I W P
T R O P R H T S K W M P I R O
S E K U Z K J T S Y L N N Q T
Y T L B C F P I G A F O U L S
V T F B Q W N H T I Y I A C T
N A U R U G W E E V N C D C R
T B Z B L O G L C Q H N N V O
O E A E S L D L H W K C I U H
V L A W E L Q H O M E R U N S
K Y O M S W A L K V I A F V G
P L P F A U P G R X E T H V W
O Z O L B P R B B L G R J Q Z
```

BALK	PITCHER
BASES	PLATE
BATTER	SHORTSTOP
DOUBLE	SINGLE
FOUL	STEAL
GLOVE	STRIKE
HITS	TEAM
HOME RUN	THROW
INFIELD	TRIPLE
INNING	WALK

```
F Q Y R F B D C I C E L Y Y D
L A G D Z A R X E F L R S D R
M T D R P D D L Q K F N M M A
K I D H F A T X S S A A H X C
S X N J K R H R Z P G V M O I
I E C Y Y S Q H C N X W L L L
L L C M L A J R O M W U G I E
L U M I W I L L O W M I Q V G
Y Q L E W F I O G B O I D E N
R Y H N T A T I I X B H Q S A
A A L L E G I N E V C W K I H
M S H V D L E F G Y N O Y R B
A A N Z E J E K A G Y J S I C
I X E L E R R O S V H K P Q I
R B U F N Y C J I Q R T V W X
```

AMARYLLIS	MAGNOLIA
ANGELICA	MAY
BRYONY	MYRTLE
CICELY	NIGELLA
COLUMBINE	OLIVE
DAPHNE	PANSY
FERN	SAGE
IRIS	SORREL
IVY	VIOLA
LILY	WILLOW

```
P B Q E B X K B I G S H O T S
R P C L I B U Q V C I M D W B
H B C A G Y I A E B M A E N B
T I M E D K K G I Z V R B I S
S G V D I D C G S B O I G S T
B B I G P B C B I P G U E N A
I O B I P H I G I B E N X X C
G N I B E S G G A G I N B R G
B E G E R A U N L S T I D F I
R D S P M B D V U E G I D E B
O E T E K H F B R F A X M Q R
T B I G W I G S O B I G B E N
H Y C B C I W O H C D E U M O
E W K M B N T B I G E A R E D
R N R O H G I B B I G H A N D
```

BIG BAND	BIGFOOT
BIG BEN	BIG GAME
BIG BONED	BIG HAND
BIG BROTHER	BIGHORN
BIG BUSINESS	BIG LEAGUE
BIG CATS	BIG SHOTS
BIG CHEESE	BIG SPENDER
BIG DEAL	BIG STICK
BIG DIPPER	BIG TIME
BIG-EARED	BIGWIGS

```
M Q P D F W I L D E B E E S T
R I E K S A U U Q U M S E O W
X U C T I G E R T H U D T J F
R U C N H P T F O I E V A I E
D O N E N O H T Y P S U L N L
G Y P P U P O M I P S N L O Y
F A R R L W U T G O M B I C E
T C T E P R N Q O P T Z R Q K
N G P S B E D R A O P R O T N
A F V Z C N A L T T F W G W O
H R O T A G I L L A E R S J M
P Y I X N L L L F M I L N W P
E U M A B I L Z A U E H A T I
L P K B L G O Q W S U S W E P
E A E Z M E E G N O P J P D S
```

ALLIGATOR	MONKEY
CENTIPEDE	PUPPY
DUCK	PYTHON
ELEPHANT	SEAL
FAWN	SERPENT
GOAT	STAG
GORILLA	TIGER
HIPPOPOTAMUS	WASP
HOUND	WILDEBEEST
KANGAROO	WREN

```
S U J W J F C T F H N K H G M
E Q N D Q O V X O N A N M H S
O C A V W L E M U R I Z L J O
S P I B X H T C V B T L I K C
E U E D H I Z I P B A E F S C
C K A L D U E K B N M N I E E
E Z D S I J N J K B L O X T R
I W G L M C N G W Y A W I O B
P T N I R P A N D A D R Q N A
S E I V O M T N E L I S J C L
S K Q R F A I W I C O N S I L
E S K B I R Y O H K N U K S H
H J S I N B S L R A E P T U I
C H E Q U E R E D F L A G M W
F A N X F Z N L I F S E N R O
```

CHEQUERED FLAG	PEARLS
CHESS PIECES	PELICAN
COW	PRINT
DALMATIAN	RABBIT
DICE	SILENT MOVIE
FILM	SKUNK
ICONS	SOCCER BALL
LEMUR	UNIFORM
MUSIC NOTES	WHALE
PANDA	ZEBRA

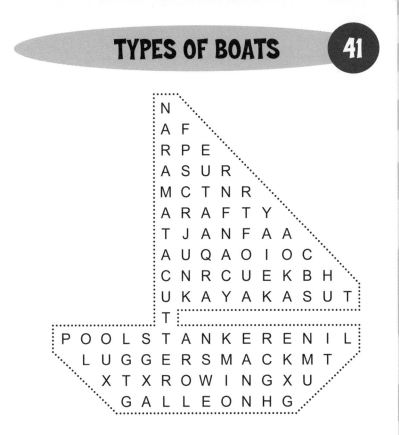

```
  N
  A  F
  R  P  E
  A  S  U  R
  M  C  T  N  R
  A  R  A  F  T  Y
  T  J  A  N  F  A  A
  A  U  Q  A  O  I  O  C
  C  N  R  C  U  E  K  B  H
  U  K  A  Y  A  K  A  S  U  T
  T
P  O  O  L  S  T  A  N  K  E  R  E  N  I  L
  L  U  G  G  E  R  S  M  A  C  K  M  T
  X  T  X  R  O  W  I  N  G  X  U
  G  A  L  L  E  O  N  H  G
```

ARK	PUNT
CANOE	RAFT
CATAMARAN	ROWING
CUTTER	SKIFF
FERRY	SLOOP
GALLEON	SMACK
JUNK	TANKER
KAYAK	TUG
LINER	U-BOAT
LUGGER	YACHT

ALL TOGETHER

```
C P P H R E T S U L C I N K Q
H A P U I T Y T K L N V F K G
T E N W S L N E U L V Z S N W
V H D W C V K M B F W K A N D
P E A W O L P I Y X M G Y O D
Z R R R O I U Y E L F O O R L
M D Q W H R H B F G E R B C H
M U U A E S C U A L Y F P F O
C O L L E C T N D H O W O R M
N Q I R N F E N U D J C A B T
Z P V S R O U U I K L U K D U
Y C Z A P B W Z O X D E Y V F
X H V M X G U D N A B B Y G T
V A C R E W E D U T I T L U M
W B B W C D M A S S Q Z R T R
```

BAND	HEAP
BUNDLE	HERD
CLUB	HUDDLE
CLUMP	MASS
CLUSTER	MOB
COLLECT	MULTITUDE
CREW	PILE
CROWD	SWARM
FLOCK	TUFT
GANG	WAD

```
E D E T C E L G E N P T N D H
P V O B X Q C U Y A M Q T E L
T E T O M E R L L V H L F D C
E W K E Z E C U E T A N O N K
H L Q D O T X F N Q X Y R A U
M W G D K A U C O L L V S R N
A N T N T L E W L N O Y A T A
R T C I I O C I O U B V K S I
O R O F O S A T E Q S V E C D
O E R L C E E H B U R I N D E
N T Q I O D T D H H Q Q V B D
E I L D E S E R T E D I I E B
D R S E P A R A T E D W N U W
U E K D U P L W T E I U Q U Z
S D O L B S J N R O L R O F C
```

DESERTED	REMOTE
DESOLATE	RETIRED
EXCLUSIVE	SEPARATED
FORLORN	SINGLE
FORSAKEN	SOLO
LONELY	STRANDED
MAROONED	UNAIDED
NEGLECTED	UNIQUE
ONLY	UNLOVED
QUIET	WITHDRAWN

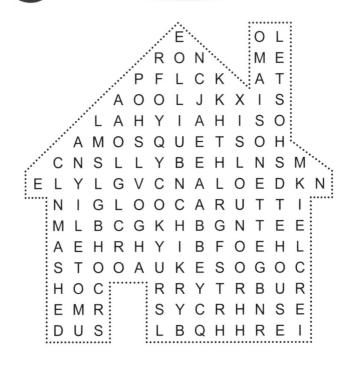

```
            E         O L
          R O N       M E
        P F L C K     A T
      A O O L J K X I S
      L A H Y I A H I S O
    A M O S Q U E T S O H
  C N S L L Y B E H L N S M
E L Y L G V C N A L O E D K N
  N I G L O O C A R U T T I
  M L B C G K H B G N T E E
  A E H R H Y I B F O E H L
  S T O O A U K E S O G O C
  H O C   R R Y T R B U R
  E M R   S Y C R H N S E
  D U S   L B Q H H R E I
```

ABBEY	LIBRARY
BARN	MAISONETTE
CHURCH	MILL
FLATLET	MOSQUE
HALL	MOTEL
HOSTEL	PALACE
HOTEL	SHACK
HOUSE	SHED
IGLOO	SHOP
KIOSK	SYNAGOGUE

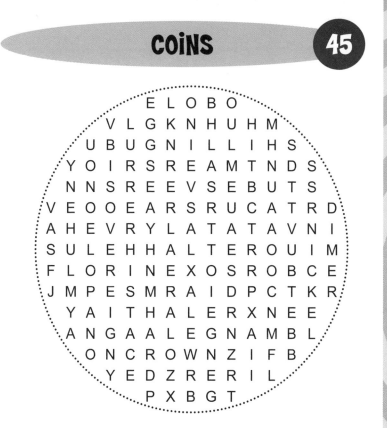

```
        E L O B O
      V L G K N H U H M
      U B U G N I L L I H S
    Y O I R S R E A M T N D S
    N N S R E E V S E B U T S
  V E O O E A R S R U C A T R D
  A H E V R Y L A T A T A V N I
  S U L E H H A L T E R O U I M
  F L O R I N E X O S R O B C E
  J M P E S M R A I D P C T K R
  Y A I T H A L E R X N E E
  A N G A A L E G N A M B L
    O N C R O W N Z I F B
    Y E D Z R E R I L
      P X B G T
```

ANGEL	NICKEL
BEZANT	NOBLE
CROWN	OBOL
DIME	PENNY
DOLLAR	POUND
DUCAT	REAL
FLORIN	SESTERCE
GROAT	SHILLING
GUINEA	SOVEREIGN
NAPOLEON	THALER

```
V D M V H O T O D U Z U G F E
B K B X V W C A Y T J Y G J O
C A R M I J B S L I K R I X T
P T F S Z M G A V O Y Q S K A
F E T J U G W E C L U X E L T
Z L C R A R G E O A H T E P O
F E Y U Q N N U D H T E V O P
A V V J G I O R B O R T Q L D
N U X I U R I J V R O I S K E
D E D G N L J A H N E B Z A H
A L E C L U G N L P A T M J S
N B I E O T E U N I M M T A A
G I Y M F N M N C P V B Q I M
O Q E C B P G J L E O A J Y J
F Y U F F O H A R P D V L C U
```

BEGUINE	MAMBO
BOP	MASHED POTATO
CONGA	MINUET
FANDANGO	POLKA
GAVOTTE	QUADRILLE
HORNPIPE	REEL
JIG	RUMBA
JITTERBUG	TWIST
JIVE	VELETA
LIMBO	WALTZ

```
              D
          E   C   A
      A   J   U   H   T
    L   P   R   E   D   L   E
          E   T   B
      T   U   A   A   A
      R   E   C   A   C   X   L
    S   U   M   A   C   V   H   U   M
  B   O   T   T   L   E   B   R   U   S   H
      A   E   Y   T   H   P   P
    U   P   A   P   T   I   A   E   E
  Y   B   P   K   T   L   H   S   B   A   C
E   W   A   L   N   U   T   R   O   Q   S   R   A
W   T   E   Q   E   T   S   O   N   P   O   E   S   E   N
              G   Y   H
```

ACER	PEACH
APPLE	PEAR
BALM	PECAN
BOTTLE-BRUSH	SUMAC
DATE	TAXUS
DEAL	TEAK
EBONY	THUJA
ELDER	TULIP
EUCALYPTUS	WALNUT
GORSE	YEW

```
O K Y C H E L U K E D X P F I
B Y N G Z A H E X O D U S S C
F H T R P V I R O F M A A F D
J T A H W R J R W J M I L D A
V O T H X H X H A U A H M X N
C M S L F O H C E H O Q S R I
N I G H X J O L W S C Z U P E
Q T I X U F F R L G D E N J L
Q U Z U H A I N A H P E Z B K
W K G S H J S S T J P A D R K
M I C A H E J O P C X E A I N
R C A U G B H O Q A Z M T H Z
J T O D P R F H N A N H O E L
O F U G K D F G W A Y J O L R
B J S H E B R E W S H V B M P
```

DANIEL	JUDGES
EXODUS	LUKE
EZRA	MARK
HEBREWS	MICAH
ISAIAH	PETER
JOB	PSALMS
JOEL	SAMUEL
JOHN	TIMOTHY
JONAH	ZECHARIAH
JOSHUA	ZEPHANIAH

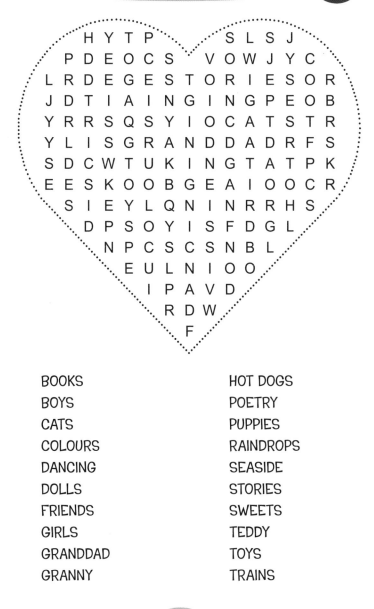

```
      H Y T P        S L S J
    P D E O C S    V O W J Y C
  L R D E G E S T O R I E S O R
  J D T I A I N G I N G P E O B
  Y R R S Q S Y I O C A T S T R
  Y L I S G R A N D D A D R F S
  S D C W T U K I N G T A T P K
  E E S K O O B G E A I O O C R
    S I E Y L Q N I N R R H S
    D P S O Y I S F D G L
    N P C S C S N B L
    E U L N I O O
      I P A V D
      R D W
      F
```

BOOKS	HOT DOGS
BOYS	POETRY
CATS	PUPPIES
COLOURS	RAINDROPS
DANCING	SEASIDE
DOLLS	STORIES
FRIENDS	SWEETS
GIRLS	TEDDY
GRANDDAD	TOYS
GRANNY	TRAINS

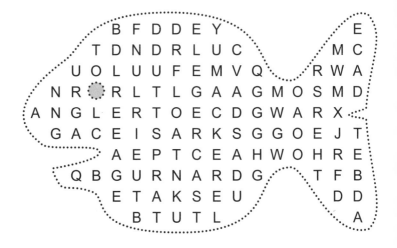

```
   B F D D E Y              E
  T D N D R L U C         M C
 U O L U U F E M V Q     R W A
N R ● R L T L G A A G M O S M D
A N G L E R T O E C D G W A R X
 G A C E I S A R K S G G O E J T
   A E P T C E A H W O H R E
  Q B G U R N A R D G     T F B
   E T A K S E U         D D
    B T U T L             A
```

ANGLER	LURE
BAIT	MACKEREL
BREAM	MAGGOT
CAST	RAGWORM
DACE	REEL
FLOAT	ROD
FLY	RUDD
GURNARD	SKATE
LEGER	SPRAT
LUGWORM	TUNA

```
A Z C Z N A Q Z H H P Y F N A
V G H Z R O R X S K A E W V G
D H T A Q E T S Y Z F B I F J
T U N W L V P O M V O C A U K
O S M W Y W I E U I G C P L T
V L O P H Y T I E T E N O L L
V B S I I Q C Y N K C E E T P
V N T P V R H K P O Y G R O S
F E O U F N E D V N S P E S H
S D W I O J L E O I T C D S C
P I C D S F R Y D M U X L W T
P A I C C I X E L A M T E S T
T M D W O R C X C T P Z I L C
Q A Q W I C K E T C S O F N G
Q Z Q E O D A I D H D U C K T
```

BALL	MAIDEN
BOWLER	MATCH
COVER	MID-ON
CROWD	NOT OUT
DECISION	PITCH
DUCK	STUMPS
FIELDER	TEST
FULL TOSS	UMPIRE
KEEPER	WHITES
LEG SIDE	WICKET

```
D C J Y Y X D C D L O N G E R
R E V A M P E D E M V B K V D
S J I Z O N D P L G X N J A N
U D Q F B W N U A A O D T P P
R S W D I Z E N E U S O O R D
P E T X D T M D H U O X Q I N
A P E G E E C C E G C H O I P
S R U V R D H E P M T U C O W
S E R D O E E S R U R E R R L
I G E G E B A S I F R O C E J
N G G Z D H A T I L P M F T D
G I R D W F C T E V O C I E V
N B A E P L T U U R E P N E R
X P L T Z E S J O C H R E W V
M L Y C R M R Y C T A R R S A
```

A CUT ABOVE   NICER

BIGGER   POLISHED

CURED   RECTIFIED

FINER   REFORMED

FITTER   REVAMPED

GREATER   REVISED

HEALED   SURPASSING

LARGER   SWEETER

LONGER   TOUCHED UP

MENDED   WELL

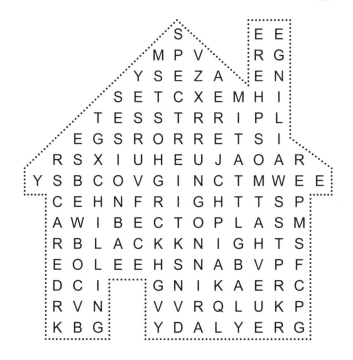

```
              S       E E
            M P V     R G
            Y S E Z A   E N
            S E T C X E M H I
          T E S S T R R I P L
        E G S R O R R E T S I
      R S X I U H E U J A O A R
    Y S B C O V G I N C T M W E E
      C E H N F R I G H T T S P
      A W I B E C T O P L A S M
      R B L A C K K N I G H T S
      E O L E E H S N A B V P F
      D C I   G N I K A E R C
      R V N   V V R Q L U K P
      K B G   Y D A L Y E R G
```

ATMOSPHERE
BANSHEE
BLACK KNIGHT
CHILLING
COBWEBS
CREAKING
CURSE
ECTOPLASM
FRIGHT
GHOST

GREY LADY
MYSTERY
NOISES
SCARED
SCREAMS
SPECTRE
SPELL
TERROR
VAMPIRE
WAILING

```
A U I G T H S I L O P E A C G
B M E S H L E T T H E R B B H
R V A C U U M C L E A N E R D
O Z V G W E T E X T R F H U I
O T P E K L N L H N V W V S J
M S Q E E S D U S E S R Q H Z
B S H W G F F K W G H C I G T
H D O C I N A F V R S X R U D
T T T S N O O R B E S I E U Q
O I W E S A R P R T M O X A B
L C A M M M I M S E K G P Z U
C H T I O I N I B D T R F A C
G W E L P C S D C I O S R A K
C Q R Y S V E E S N W X U N E
S Q U E E G E E W R I N E D T
```

APRON	MOPS
BROOM	POLISH
BRUSH	RINSE
BUCKET	SCRUB
CLOTH	SOAK
DETERGENT	SPONGE
DUSTER	SQUEEGEE
FOAM	SUDS
GRIME	TOWEL
HOT WATER	VACUUM CLEANER

```
G M Y X C A Y E N N E P O G D
D P W M A L A B O R A B A T F
A H M P Z E M D L D M W J K M
Z K A Y R T O V I N T R U A L
V U R K J I U A M K G H A V O
R A D P A A S N A D Y K H L G
X L I A Y U S T I H A C S K O
U A D O V A O T I S K O Z H F
Y L A A N J U J U N B M A R U
L U M A W Q K L K Q A K P K Y
H M A B R D R G O D Y A A S V
G P E U C A O H R P R B L R K
L U J P D S B I L I W E N I Q
G R H C G R D A S O S T E W C
Q L N W O T E E R F C V N B U
```

BAKU	MALABO
CAYENNE	OSLO
DHAKA	PARIS
FREETOWN	PRISTINA
KIEV	RABAT
KUALA LUMPUR	SANA'A
LA PAZ	SUVA
LIMA	TUNIS
LUSAKA	VADUZ
MADRID	YAMOUSSOUKRO

```
M Z A P Z A L O C A T A U L X
E H O N B O D C Q I O W Z A N
N D F E V T Y R J F L I N T I
H B I E D O M H T L B E E W H
I T N T N E M H C T A P R G P
R S Y E V R U S E Z X Y I A S
F H W U H J M D I H Y W L T X
E J E X X G D L A I C A L G S
H P G R P N S I B T E L P L N
P L A M L E E E M O I I C G Q
P G N I G G I D L A D N R C W
N Q O F L B N I D C R I G I Q
S L R X F K T N P I R Y T P G
X T I W K H S T U H M I P C H
N R F K M S G B V X U Z C Z H
```

CIRCLES	MIDDEN
DATING	MUMMY
DIGGING	OVEN
DITCH	PALAEOLITH
FLINT	PATCHMENT
GLACIAL	PITS
HUTS	PYRAMID
IRON AGE	RELIC
KILN	SPHINX
MENHIR	SURVEY

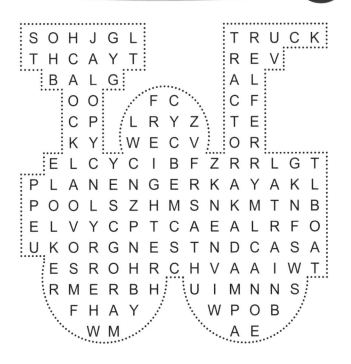

```
S O H J G L        T R U C K
T H C A Y T        R E V
  B A L G          A L
    O O      F C   C F
    C P    L R Y Z  T E
    K Y    W E C V  O R
    E L C Y C I B F Z R R L G T
  P L A N E N G E R K A Y A K L
  P O O L S Z H M S N K M T N B
  E L V Y C P T C A E A L R F O
  U K O R G N E S T N D C A S A
    E S R O H R C H V A A I W T
    R M E R B H  U I M N N S
      F H A Y    W P O B
        W M      A E
```

BICYCLE	LORRY
BOAT	PLANE
CANOE	SEDAN
COACH	SHIP
FERRY	SLOOP
FREIGHTER	TRACTOR
HORSE	TRAIN
JALOPY	TRUCK
KAYAK	WHERRY
KETCH	YACHT

```
S S H X D X T L G C B C G B V
R V Y U Z K M U R Y E N R E C
E J F I M U Y S A B J I A R P
T B U E T B O A Y Y E X B K M
S U B A T T O C I R J A E S A
E N R O C A D L E S T J T W S
C D I L P V F B D B V U T E C
I U A X T M X O O T A A O L A
E O C N E V E D A M F C V L R
L A O L L U N T O E U O A E P
D Y F R O H I O Y I A I G T O
E K D E B U L J J R R P D E N
R I H Y R P O S H A R P A M E
S U I B M O O Q G Y Q R Y S Y
F L T C H E D D A R E B S E H
```

ACORN	GRABETTO
AIRAG	HUMBOLDT FOG
BERKSWELL	MASCARPONE
BRIE	MEIRA
CABECOU	RED LEICESTER
CERNEY	RICOTTA
CHEDDAR	SHARPAM
DOOLIN	UBRIACO
EDAM	ULLOA
FETA	YARG

```
U Y L A X N A W K I N I R T O
W N Y E I L R A H C S O N L V
H A G Z U D O N N A J I X C D
M U A I N F V A E N T A Q E Y
E T Z T R J K R I S D Q H S F
Z D J R R S A N U Y L I L T O
T Y Z O N N R J G L S T N R R
E L B E G H O W G M N R J O C
Y K Y S Z B N I A E A S C O N
D A S O O R E D R O F A R I K
E I K R F E Z A O W O C W N C
Y C S X W H H H K T U S H S A
I H B W Q M G T A S T Y F A S
X E X Y P C W O B N A E L H E
I N D L S U F D H E E F H A Y
```

CASEY	LILY
CESTRO	MAYA
CHARLIE	NINJOR
CORCUS	ROBO JUSTIN
DAX LO	ROSE ORTIZ
KAI CHEN	THEO
KARONE	TRINI KWAN
KIRA FORD	TYZONN
KORAGG	UDONNA
LEANBOW	ZHANE

```
Y R R E B K C A L B Z D R J G
T E O Z K F R U I T S P I Q N
M W L H D X R M J X H E S R I
Z F V L J Z F O J F E J D R T
M I S T O Y J A S T A H E G T
K O O T S W M W R T F M E X U
Q S R V S M L K E H M R S Z C
C P F R A C S B T U K R A L M
P H N K Y J Y R S S T N P I J
Y C I L Y C O N A O Q W P C N
Q N E L F A A P X X E Z L G A
G N Z G L I S T O R M Y E N S
E K T G D Y V L L A F A S Z P
W Z J N P S Z I U S M T X O F
N H I C H E S T N U T S Q P Y
```

APPLES	INDIAN SUMMER
ASTERS	JAM-MAKING
BLACKBERRY	MIST
CHESTNUTS	RAIN
CHILLY	SCARF
CUTTING	SEEDS
FALL	SHEAF
FROST	STOOK
FRUIT	STORMY
HATS	YELLOW

```
S T A B L E A T X J J Y D L X
O J L U L C G W U B U R R O W
Y M V O I E P Z B E V B N C D
F E D M H O Y A S A U R Y N Q
E H R E N Z F T Q E O O U J O
I R V D N T Y O J X Y O I E B
X A V E S P I A R Y M B Y R E
C M L L A T S A E M M D C K Z
W O E L G X V Y U I I G J D X
I R R Y G S E S G E R C X O X
Z L F Y D G K C L A R Y A U C
O B U C L L E H S R T O E R S
Y E V M F T N P X T V S O N Y
Q D O V E C O T E H D Y E S T
L I I H J M G A N N Z R K N T
```

BURROW	HOLT
BYRE	MOUND
CAVE	NEST
DEN	PEN
DOVECOTE	ROOST
DREY	SHELL
EARTH	STABLE
EYRIE	STALL
FORMICARY	STY
HILL	VESPIARY

FARMING

```
D P K C O T S E V I L N Q R O
R Z F F R E N C A T T L E E E
H G N I W O N N I W R D L S S
E Y N M H S P C B M D G D U U
U G E S E P U S L O Q L O O O
W V A E A L E D F F R W Y H H
O E D L T C H S I O G O T M T
D S J K I C M C T J I S P R U
A V L O U S P C I I E E U A O
E I M I R E A E S V C Q Q F T
M J E L H R T E R H W I R E B
T Z E T T O Z A D E E L D P A
V J Y L M L H J E U X E N E R
C C U L T I V A T O R S P Y N
S I H I Q G V S D R A H C R O
```

BARN	ORCHARDS
CATTLE	OUTHOUSE
CROPS	PESTICIDE
CULTIVATOR	SCYTHE
FARMHOUSE	SEEDS
FODDER	SHEEP
HARVEST	SILAGE
LIVESTOCK	TRACTOR
MEADOW	WHEAT
MILK	WINNOWING

```
W G Q N W O R B R V B B X E Z
W A R S B E T J E R E L L W K
J M E C I Q S K W I C B N N P
Q Y D A C N H I G P C S I N N
C I N R V B D E O W U P D R W
R M E L Z R U I T U H R I K Z
I A V E Z L R Z G O Q I P Q E
M X A T B V J W D O C R T L S
S C L Y Z R X O T X T I U E E
O T V U J T E E R K Y C R T D
N A Z U O V L B N E E R G P X
N N S L U O U I M A G E N T A
Y O I A I U I W L A N P S E C
R V M V S H E G X A H Q E T L
E Y C J Z Y O Z P J C E D S B
```

AMBER	MAGENTA
APRICOT	MAUVE
BEIGE	NAVY BLUE
BROWN	OLIVE
CREAM	PINK
CRIMSON	PURPLE
GREEN	SCARLET
INDIGO	TURQUOISE
LAVENDER	VIOLET
LILAC	WHITE

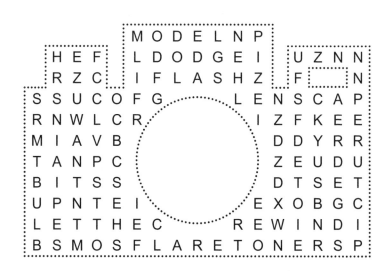

```
        M O D E L N P
  H E F   L D O D G E I   U Z N N
  R Z C   I F L A S H Z   F     N
S S U C O F G         L E N S C A P
R N W L C R             I Z F K E E
M I A V B               D D Y R R
T A N P C               Z E U D U
B I T S S               D T S E T
U P N T E I           E X O B G C
L E T T H E C       R E W I N D I
B S M O S F L A R E T O N E R S P
```

BLUR	PICTURE
BULB	RED-EYE
DODGE	REWIND
FILM	RINSE
FLARE	SEPIA
FLASH	SLIDES
FOCUS	SNAPS
LENS CAP	TEXTURE
MATT	TINTS
MODEL	TONER

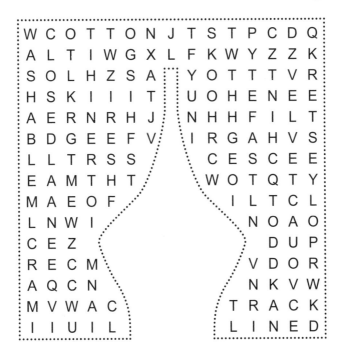

```
W C O T T O N J T S T P C D Q
A L T I W G X L F K W Y Z Z K
S O L H Z S A Y O T T T V R
H S K I I I T U O H E N E E
A E R N R H J N H H F I L T
B D G E E F V I R G A H V S
L L T R S S C E S C E E
E A M T H T W O T Q T Y
M A E O F I L T C L
L N W I N O A O
C E Z D U P
R E C M V D O R
A Q C N N K V W
M V W A C T R A C K
I I U I L L I N E D
```

CHINTZ	PATTERN
CLOSED	POLYESTER
COLOUR	SAFETY
COTTON	SHOWER
FRILL	SINGLE
HOOKS	THERMAL
LACE	TRACK
LINED	VELVET
MATERIAL	WASHABLE
NETS	WINDOW

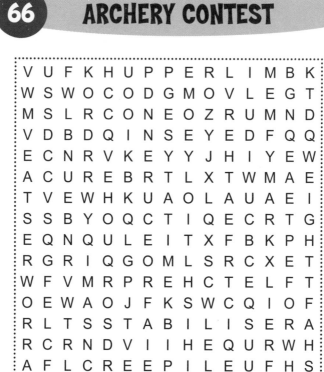

```
V U F K H U P P E R L I M B K
W S W O C O D G M O V L E G T
M S L R C O N E O Z R U M N D
V D B D Q I N S E Y E D F Q Q
E C N R V K E Y Y J H I Y E W
A C U R E B R T L X T W M A E
T V E W H K U A O L A U A E I
S S B Y O Q C T I Q E C R T G
E Q N Q U L E I T X F B K P H
R G R I Q G O M L S R C X E T
W F V M R P R E H C T E L F T
O E W A O J F K S W C Q I O F
R L T S S T A B I L I S E R A
R C R N D V I I H E Q U R W H
A F L C R E E P I L E U F H S
```

ARROW REST	NOCK
BELLY	PILE
BUTTS	QUIVER
CLICKER	SERVING
CREEP	SHAFT
FEATHER	STABILISER
FLETCHER	TARGET
HOLD	UPPER LIMB
LOOSE	WEIGHT
MARK	YEW

```
K D V Q U F A N T A S Y A G O
G P C F L I M A M B K I N D D
S N C Y C R O B O T S I I S F
N E I R O R E M V O M S M H L
O N R K O Z Z T W M I N A E O
G Y F R N W Z E I C U E L W A
A I L Q F I D W K J C I S R T
R E O S S O S S C H G L R E I
D M W K O P O A A N Y A R H N
A M E F C M S S I N O P S A G
W O R D H T E H C C T H X N A
D L S Z L S G Z B H E Y I P N
J T H E F U T U R E O T U V Q
P C S G A C I D P T A O Y X Q
T S O L G N I T T E G F L N C
```

ALIENS	FLYING
ANIMALS	FOOD
CASTLES	GETTING LOST
CHASES	LAUGHING
CROWDS	ROBOTS
DRAGONS	SCHOOL
EATING	SHEEP
FANTASY	SINKING
FLOATING	SWIMMING
FLOWERS	THE FUTURE

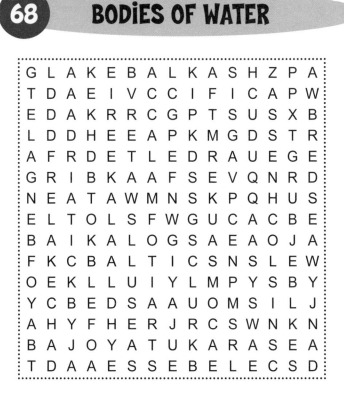

```
G L A K E B A L K A S H Z P A
T D A E I V C C I F I C A P W
E D A K R R C G P T S U S X B
L D D H E E A P K M G D S T R
A F R D E T L E D R A U E G E
G R I B K A A F S E V Q N R D
N E A T A W M N S K P Q H U S
E L T O L S F W G U C A C B E
B A I K A L O G S A E A O J A
F K C B A L T I C S N S L E W
O E K L L U I Y L M P Y S B Y
Y C B E D S A A U O M S I L J
A H Y F H E R J R C S W N K N
B A J O Y A T U K A R A S E A
T D A A E S S E B E L E C S D
```

ADRIATIC	LAKE BALKASH
ARAL SEA	LAKE CHAD
BAIKAL	LAKE ERIE
BALTIC	LAKE TANGANYIKA
BASS SEA	LOCH NESS
BAY OF BENGAL	PACIFIC
BLACK SEA	RED SEA
BOSPORUS	STRAIT OF MALACCA
CELEBES SEA	ULLSWATER
KARA SEA	YELLOW SEA

FLYING MACHINES 69

```
P N N B T F R E I R R A H A W
Y T P O I E Y R S Q P J P E H
F O R E O O K P Q A S A S R U
Z R N I H L I C R H I E P O R
K N P N P T L A O R A Y U P R
H A M G F L G A S R C D T L I
E D W I A L A H B I C M N A C
L O R A I V I N E N O O I N A
I E F D B P K H E R N S K E N
C N E M I Z R N H Q C Q U G E
O R Z E P P E L I N O U A K C
P N E E L T T U H S R I L T U
T A T F A R C R I A D T O E Q
E I J H N F P R I R E O D U S
R O M A E Z Q L Y Q A X I Z Y
```

AEROPLANE
AIRCRAFT
AIRSHIP
BALLOON
BIPLANE
BOEING
CONCORDE
HARRIER
HELICOPTER
HERCULES

HURRICANE
MOSQUITO
PARAGLIDER
ROCKET
SHUTTLE
SPITFIRE
SPUTNIK
TORNADO
TRIPLANE
ZEPPELIN

```
L G Y W E E K E N D E G D S B
V S A M Q W D D P N G S O E G
Y A D S E U T A U G U S T V W
H M N J V M O J V P Y X C R G
N T U Y A D N O M A Z D T Q T
O S S D P N Z H D L K Z K G E
V I W V C S U S H M O N T H S
E R L S B S R A C C J U L Y Z
M H I G G U O N R W R E U F J
B C R X H S C W U Y H A B R O
E A P T V U T J O I B S M I O
R W A J W T O Q A T Z T F D M
D E S O S Q B T V B N E G A A
M Z C Z O N E W Y E A R Y Y C
Q X U F E B R U A R Y L Z X N
```

APRIL	MAY
AUGUST	MONDAY
CHRISTMAS	MONTHS
EASTER	NEW YEAR
FEBRUARY	NOVEMBER
FRIDAY	OCTOBER
JANUARY	SUNDAY
JULY	THURSDAY
JUNE	TUESDAY
MARCH	WEEKEND

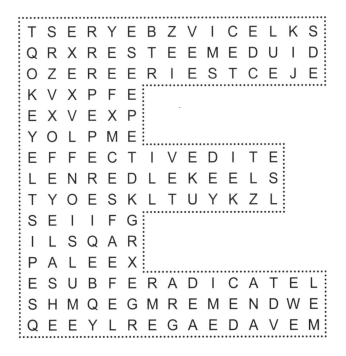

```
T S E R Y E B Z V I C E L K S
Q R X R E S T E E M E D U I D
O Z E R E E R I E S T C E J E
K V X P F E
E X V E X P
Y O L P M E
E F F E C T I V E D I T E
L E N R E D L E K E E L S
T Y O E S K L T U Y K Z L
S E I I F G
I L S Q A R
P A L E E X
E S U B F E R A D I C A T E L
S H M Q E G M R E M E N D W E
Q E E Y L R E G A E D A V E M
```

EAGERLY	EMPLOY
EAGLE	EMULSION
EELS	EPEES
EERIEST	EPISTLE
EFFECTIVE	ERADICATE
EJECT	ESTEEMED
ELDER	EVADE
ELKS	EVERY
EMBER	EXPERT
EMEND	EYELASH

NOISY!

```
F L E D W K K B Z H W C W F R
R E Y X C N I E S A U D Z V E
B I T O J O Y A T K P M U H T
Q H N S D C R R K A W K C W T
X K H G F C Y X H R N L Y G A
G N T V F X J N R U A O S J L
A K A P I D N P L N C B T X C
A T E V B I N C G B E C R E M
D A B F K T H U N D E R I G D
L W H W R S L G O J J D K G A
H G A E L J E F S P B S E I S
S C U A T E C P W J E B H C C
A L M U Q T E X A E V M B O R
B A D E X P L O D E E Q W U T
I P M T E P O L L A W H Y B W
```

BASH	KNOCK
BEAT	PEAL
BIFF	POUND
CLANG	RING
CLAP	SHOT
CLATTER	SLAM
CLUNK	STRIKE
CRASH	THUMP
DETONATE	THUNDER
EXPLODE	WALLOP

```
J R D P Q Z B P O Y S Y K B T
S E S K I Q F Q L E M C S R E
R W D C D Z O F H T I S N U R
D O Y G L P Z S T A A A X S E
L L L Q C W U O R R P R Y S B
A F O C A R D U G C P I Q E J
R I F E D I Q D D N L P O L E
E L W R R I C S N A E B L S C
M U I E V K Z E L I G H T S U
E A P G X M N Z T J U Y C P T
Q C N V R V R V Y A Y Z O R T
Q C K Z Y O F G F D B C I O E
A X R F I N C H L E V Q X U L
C G E O T A X E P E G A S T I
R C Z U P M F U R S A E P G T
```

APPLE
BEANS
BERET
BRUSSELS SPROUT
CARD
CAULIFLOWER
CROP
EMERALD
ENVY
FINCH

FLY
GRASS
GROCER
JADE
LETTUCE
LIGHT
PEAS
PERIDOT
RUSHES
SAGE

```
W O O D Y W O O D P E C K E R
G M J Z U O J G D X U C Q O X
L Y O E V I L O U I Z H J G L
S K H W R T T J Q L B A M B I
P T K A G R N C V E R R P A S
O H W T I L Y J T F E L O G A
B U W Z E J I T P E T I R E S
M M I G H T Y M O U S E K P I
U P N V O R O W P X E B Y P M
D E B K U O S B E S V R P E P
E R Q B G P F K Y F L O I T S
B L B A U M A Y E G Y W G T O
E L M E R F U D D G S N C O N
E R Y C E T C A T L O V O Z H
M X B W I L E E C O Y O T E D
```

BAMBI	MIGHTY MOUSE
BETTY RUBBLE	MOWGLI
CHARLIE BROWN	MR MAGOO
DUMBO	OLIVE OYL
ELMER FUDD	POPEYE
FELIX	PORKY PIG
GEPPETTO	SYLVESTER
GOOFY	THUMPER
JERRY	WILE E COYOTE
LISA SIMPSON	WOODY WOODPECKER

```
F V Y R E L K R A P S B C J N
I H G S R C F Q W V F A R P O
R X N P J A Z L S B S J A M R
E M I A S P P Y A C S R C E U
W V R T M Y J D A M T I K X A
O K A K O R N D O Y E L L C C
R E O I K O E B T R Q S I I O
K D S N Y T Y R E I F V N T L
S I Q L A E Y J K A Y S G I O
G S N E E C Z S C R C P T N U
U P Z D U H L V O R M O B G R
Z L L N L N T O R C H S N S F
E A O N G I Q W V P S E E N U
B Y R I F C N Z A F S A A T L
H G N A B S I G J X T A Q T J
```

BANG

BEACON

CASCADE

COLOURFUL

CRACKLING

DISPLAY

EXCITING

FIERY

FIREWORKS

FLAMES

HEAT

KINDLING

PARTY

PYROTECHNICS

ROCKET

SMOKY

SOARING

SPARKLER

TORCH

VOLCANO

```
G W S P O O L D T E F B H D X
N P R G H K A B R E A O T U W
I I A V M E L X Q K O M N M V
T Z C C R D D I L K I S E M K
T L U H J X F A S N C K M Y E
I V T F C L H W S I U B R C C
F S T I T C H E S A N R A M E
B T I S D P D S K O Q L G I E
A C N F G I O R T N E E D L E
P I G R O R I T O D W S W M U
P C H E S K O I Y L T T S X A
S A Z E M C X A A X I R A D C
W N D L B P K D R U I A S P O
C E Q S D A G E N H J R T B Q
V P R Z Z A B U T T O N T X T
```

BUTTON	PINS
CHALK	REELS
COTTON	SCISSORS
CUTTING	SILK
DUMMY	SPOOL
FITTING	STITCHES
GARMENT	TAILOR
HOOKS	THREAD
LACE	YARN
NEEDLE	ZIP

```
J D L D D S P O E G A X D K I
P E V A N V Y A A B S E V I X
C T E X I V S S U A V L T N D
D R Q V W M K D I I N F M K P
R O O A J E J B A D B E Y R S
C T Y O W Q Z T S R A V A H M
O S A J K D E V G N N W V F L
B I V E X Z P M D B Q J Y Q T
E D T T L O T E O Z I G Z A G
L R U C O G R K G T E W F K E
B T K L L W N H F V G N R U T
O G X D Q G S A R C K Z O S Q
W E V R E W S U D N H J I V M
L D E F L E C T C R S W A Y J
A T C A G C K Q I A T L A E W
```

ANGLE	KINK
ASKEW	LOOP
BIAS	MEANDER
CROOK	SWAY
CURL	SWERVE
CURVE	TURN
DEFLECT	TWIST
DEVIATE	WARP
DISTORTED	WIND
ELBOW	ZIGZAG

FLOWER POT

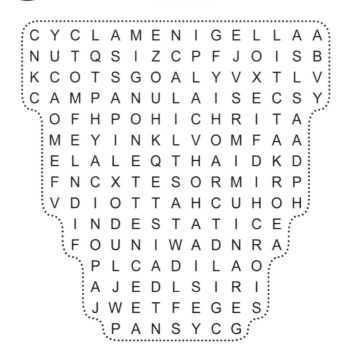

```
C Y C L A M E N I G E L L A A
N U T Q S I Z C P F J O I S B
K C O T S G O A L Y V X T L V
C A M P A N U L A I S E C S Y
  O F H P O H I C H R I T A
  M E Y I N K L V O M F A A
  E L A L E Q T H A I D K D
  F N C X T E S O R M I R P
  V D I O T T A H C U H O H
    I N D E S T A T I C E
    F O U N I W A D N R A
      P L C A D I L A O
      A J E D L S I R I
      J W E T F E G E S
        P A N S Y C G
```

ASTER	MIGNONETTE
CAMPANULA	NIGELLA
CELANDINE	ORCHID
CYCLAMEN	OXLIP
DAISY	PANSY
GERANIUM	PRIMROSE
IRIS	STATICE
JAPONICA	STOCK
LILAC	THRIFT
LILY	VIOLET

```
E T E S D F E N I L O R A C Z
U A Q N Z A A I C I R T A P A
Z N D O I F K T Z I O O O T E
E N D N S E P Y F A D L H J E
N I U H I P L P I X L T T E N
A E A H D L A E M Y J T E I N
G B D N A C X V D A S K B S O
I W V D T N P R C A P I A O V
A N E X G A I Q F G M M Z J Y
P R Z L M F U D W F N B I R T
B Q E A Z E J T F I H E L Y K
D N N V L R L O T A P R E F S
U D J I K W M L E Z J L C A L
A R N U O X L L E W G E M M A
F E A A R U A L T N N Y H Q A
```

AMANDA	KIMBERLEY
ANNIE	LAURA
BREDA	LEAH
CAROLINE	LINDA
DINAH	MADELEINE
ELIZABETH	PATRICIA
ELLEN	POLLY
GEMMA	VERA
JACQUELINE	YVONNE
JOSIE	ZENA

CLOUDS

```
S T S K A E R T S L L A F H R
U Z I R G I A U Y D P A B E F
T M U M K N T C J G P L D M C
A A F O V S I N T L S N T R O
M R W I I R W W W H U R S O N
M E L Y R R Q E O H Z W N T T
A S S U O W A X T L I V O S R
M T S E Y G B F U L L S W I A
T A X T R R L U Q N B I P E I
Z I N I J L A Y R A I N B Y L
G L V H K K C E A N J Q J J S
S S Q W T J K R X Y P B W O R
H Y D R O L O G I C O E H L B
C Y C L O N I C P Z T H I C K
C O N V E C T I O N B U W T R
```

ANVIL	MAMMATUS
BILLOWING	MARE'S-TAILS
BLACK	RAIN
CIRRUS	SNOW
CONTRAILS	STORM
CONVECTION	THICK
CYCLONIC	THUNDER
FALL STREAKS	VIRGA
GREY	WHISPY
HYDROLOGIC	WHITE

```
Q S T M V A H L E I S T B D Z
F Y H O N V D B B H E Q R E Z
G T W U V A F M P S Y A E W L
F I A T L A Z F T T H A E O I
G L L L O D J H I C Q V Q T N
N I A A Q K G R I R R F G S C
I B N W V I A R K X E T A N O
T O A H N H G D S E M H D I L
N N D K C N Y W F T X Y S W N
U O A Q I R O B I N H O O D G
H I L K E R L E G E N D B E R
Y V E H R N M F O R E S T D E
M E C A Q Y R O M A N C E D E
H R B H T U M J T A R G E T N
A Y S H E R W O O D K D R S B
```

ALAN-A-DALE	LEGEND
ARCHERY	LINCOLN GREEN
ARROWS	MYTH
BALLAD	NOBILITY
CHARITY	OUTLAW
EDWINSTOWE	ROBIN HOOD
FOREST	ROMANCE
HUNTING	SHERIFF
KING RICHARD	SHERWOOD
KNIGHTS	TARGET

SKELETON

```
X O A T A Z S R Q V W W G K L
T F L P J H C A M I B Y D E D
E E U Q H F X P D H C G L C I
R C B E T A M A H Y V B K Q O
R L I A N K L E G Z I V K C H
N S F D W I S A K D R I B S P
C J O C C L C S N N T P M C A
H G W A X I I A E G J A L A C
E A J R H U M L C P E F L P S
E T M P G M C R E X M S E U Q
K Q M A X I L L A M N O T L S
B V Q L S U V A U U M U I A N
O K I S G I S U L D H Q B U I
N C O X S P H E N O I D I J H
E J F E N O B W A J G H A T S
```

ANKLE	PELVIS
CARPAL	PHALANGES
CHEEKBONE	RIBS
FIBULA	SCAPHOID
HAMATE	SCAPULA
ILIUM	SHINS
JAWBONE	SPHENOID
MANDIBLE	TALUS
MAXILLA	TIBIA
OSSICLE	ULNA

```
R A N G I P O N M L Z G K D V
F A I L A H K L A B U R E I T
R R R R I Y I C Q U Y A Q T N
I A K A M T Y F N P T S W C A
D C H O H K T R T H H Y U V I
T V N T J A E L V O A R D P L
C T X B Z T S A E I I I T A A
E M H X S M L J N S C A N T R
V E G E N L U A N O A N I S T
R H W M E D M A L L S N T B S
I B A Y E I I V P J O V D K U
V L A A B B M F G S E A S Y A
A D N W U E I O B E C V U L I
K X S N A Y B I L A C C O N A
A Q I S U I G K Y Z Y L K U M
```

ACCONA

AUSTRALIAN

DEATH VALLEY

GIBSON

GOBI

JUDEAN

KAVIR

KYZYL KUM

LIBYAN

LITTLE SANDY

MONTE

NAMIB

NEGEV

NUBIAN

RANGIPO

RUB AL KHALI

SAHARA

SYRIAN

THAR

WESTERN

```
S U O I C I N R E P L V M L N
Y C Q R E L W O S Z U N P U L
Z J C L O I B T C L F U D F V
L C I Z C C Y T Y X N I I T I
A V V K I I V E P T I Y S R L
T P E P Q S X N Q H S C H U L
N D E L B A N I M O B A O H A
E G Y D C B A T K K A O N I I
M O R X X I U P U W E B E M N
I X D O K M G U L U Y B S M O
R Z H E S H H R U E F T T O U
T B O X G S T R E E V I L R S
E A E T T S Y O L U F M R A H
D D A P R A S C A L L Y Z L M
V Q L U C A Z B A N E F U L J
```

ABOMINABLE	IMMORAL
BAD	NASTY
BANEFUL	NAUGHTY
CORRUPT	PERNICIOUS
DETRIMENTAL	RASCALLY
DISHONEST	ROTTEN
EVIL	SINFUL
GROSS	VILE
HARMFUL	VILLAINOUS
HURTFUL	WICKED

```
Z I H R H S Y F R E N C H I M
P C Y R Z U T A Q E N S E I H
M E R P L O J I D L E Z L K I
P U M P E R N I C K E L C O U
M C I L R A G M N K E E W S E
T E C U A S B O A R D M D L Q
T Q L N U H R L S Z N O F L Q
V B R O W N I M N E H G U O D
M U K L W Z O J W P Y H Z R P
O N C P D P C W I T C O J B J
V E Q R C A H Q S B Y U C W B
E H W D U R E A M S L M H A D
N E D J J S O N M B Q I K F N
C H A P A T T I K Y T E K H J
O N A A Q S G Y E E R S Y Y K
```

BAKER	MILLER
BOARD	NAAN
BRIOCHE	OVEN
BROWN	PUMPERNICKEL
CHAPATTI	ROLLS
CRUSTY	RYE
DOUGH	SAUCE
FRENCH	STICK
GARLIC	TOAST
KNEAD	WHITE

```
            I        W S
        C S T        A R
      A E N S M      T E
      V F I A E P U E T
      I Z A L L C U O R T
    T N P J I P I R I B U
    Y E S Z Y N J V L T C G I
  E B V U O G G A R I A C G U M
    S I L O U N G E N P S A O
    E R A H B X P S S L S R T
    P D T Q S U Q Z A T T A F
    I C I R Z B Q B S A Y G Y
    P U O   L S I R L M E T
    T O N   M O O R H T A B
    D P F   J X S R O O L F
```

BATHROOM	LOUNGE
CAVITY	MORTAR
CEILING	PAINT
DOORS	PATIO
DRIVE	PIPES
FLOORS	PLANS
GARAGE	PURLINS
GUTTERS	SERVICES
INSULATION	SLABS
JOISTS	WATER

```
E K E A E J B Q T N F I L T R
L G Y P F L U E T U O I R E G
U F N R A G K N R U Q L F T R
O V B Z A C H C L S X E C K E
G P E L A I O A E Z E E Q A M
A R X J O A N E N R O Q D R R
C O T S T U K C O M P E S O A
J F B H O A S Y O Z S K K N W
O H C N O P D O C A I J A A Y
R K E L K R O F N E T Q K L D
M K C D T A O C H C N E R T O
W Q E A H S O T N I K C A M B
V F P U G K J E R K I N P G E
U T A O C L E F F U D U X U Q
O V E R C O A T J S F X T D M
```

AFGHAN	JACKET
ANORAK	JERKIN
BLAZER	MACKINTOSH
BLOUSON	OVERCOAT
BODY-WARMER	PARKA
CAGOULE	PONCHO
CAPE	RAINCOAT
CLOAK	REEFER
DUFFEL COAT	TRENCH COAT
FUR COAT	TUXEDO

BICYCLE WHEEL

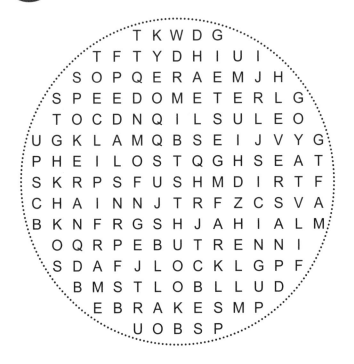

```
        T K W D G
      T F T Y D H I U I
      S O P Q E R A E M J H
    S P E E D O M E T E R L G
    T O C D N Q I L S U L E O
  U G K L A M Q B S E I J V Y G
  P H E I L O S T Q G H S E A T
  S K R P S F U S H M D I R T F
  C H A I N N J T R F Z C S V A
  B K N F R G S H J A H I A L M
    O Q R P E B U T R E N N I
    S D A F J L O C K L G P F
      B M S T L O B L L U D
      E B R A K E S M P
        U O B S P
```

BELL	LOCK
BOLTS	NUTS
BRAKES	PEDALS
CHAIN	PUMP
FRAME	SEAT
GEARS	SPEEDOMETER
HELMET	SPOKE
INNER TUBE	TOECLIP
LEVERS	TYRES
LIGHTS	WHEEL

```
A E J G E Y J W U I L Q W G Q
I S S V N X Y L M L E O I F B
S H O O E C B Z O O R O N V R
H L E R R F O I P R U N T R E
C P B A T H M R A E A C E E W
U Y A N R E S Y I N L U R G O
F N Y G L E S I H A X Y G N L
N M L E Y L P S L M N N R I F
L I E C V K E I X G H D E G N
E B A O A T N Z N A N L E Z O
N R F W E M V D Z U D E N R I
N A W G D P P E C U J Y B W S
E T A L O C O H C K R A D T S
F T C I N N A M O N M L F V A
L K J P X T H L Q R R L W L P
```

BAY LEAF	GINGER
CAMPHOR	JUNIPER
CINNAMON	LAUREL
CLOVE	NEROLI
CORIANDER	ORANGE
DARK CHOCOLATE	PASSION FLOWER
ELEMI	PEONY
ENGLISH ROSE	TAGETES
FENNEL	WINTERGREEN
FUCHSIA	YARROW

```
P S S A L L E R E D N I C F F
F R N O I T A M A L C O R P A
R E H T O M P E T S N W K Z I
H T Y N E Q P P C W F P Z T R
A S N T Y G R U I G I M L N Y
N I K P N I A W M H Y A C P G
D S G C N A I I S P C K Q A O
S Y R C F C V D R I K E S N D
O L E R K D R R G R W I P T M
M G Y E G A I A E A A K N O O
E U D S H A M D S S I C I M T
R E P P I L S S S A L G I I H
R O Y A L B A L L B A C C M E
M M I D N I G H T K E H E E R
F P E D I R B E A U T I F U L
```

BEAUTIFUL	MIDNIGHT
BRIDE	PANTOMIME
CARRIAGE	PRINCE
CINDERELLA	PROCLAMATION
FAIRY GODMOTHER	PUMPKIN
GLASS SLIPPER	ROYAL BALL
HANDSOME	SERVANT
HARDSHIP	STEPMOTHER
MAGICAL	UGLY SISTERS
MICE	WICKED

LOTS OF KiDS

```
R J N R L P B Z U V B H X N Y
O X L D A U G H T E R O Q I T
N X B H R B S T U D E N T H S
I T U Q M Y Y I R P B H S C E
M O R E L I N E V U J O C R I
G D E W K G N G W W T Y A U S
A D H E L A I B X N R D L F S
O L C A E I B F E R N E L Q A
N E H W I O H C E M T N Y S L
I R W D I K S G Z N Q K W W Q
B T L O N E A F A Y I S A C G
M Q Z H L N D F M B L O G H A
A L W O E Q N W C F A N M I L
B R D E C I C Z F Q A B P L W
Z A T E I D D A L F Q S Y D L
```

ADOLESCENT
BABY
BAMBINO
CHERUB
CHILD
DAUGHTER
HOYDEN
INFANT
JUVENILE
KID

LADDIE
LASSIE
MINOR
SCALLYWAG
SON
STUDENT
TEENAGER
TODDLER
URCHIN
WEAN

```
Q M G S Y T Q X G N V R F V M
T T V X X R U Z S N E T O L S
S S F E N V A R M H I L E E E
R U T Z E A E N S N R D L U G
L Y R S W V C I O A O H N Q A
S P H U O S L V R I H J C E P
L L L C A B N Y G H T T R S W
Y A W O U S R O K T U C B V T
I L U P T P E C V G A R I O Y
R B K N S B A H J E O Z X D A
S Z U T N B X R T T L D G X L
T D U V T A W R I T E R T E J
Z D F F C C Z D X E G O K D D
Y H O P A P E R Z B M D E N O
N S I N S T A L M E N T Q I Q
```

ANNUAL	PAPER
AUTHOR	PLOT
COVER	PUBLISHER
DICTIONARY	SEQUEL
EDITOR	SOFTBACK
ENDING	STUDY
INDEX	TEXT
INSTALMENT	THESAURUS
NOVEL	TOME
PAGES	WRITER

```
Y U O A P Z N H B V P G H Z D
N I C G N I K I V U B I L F C
Q R A Z G Z H L N B P Y G V W
N Z P U F Z R I R P O H G X Y
A R T T E D D Y B E A R R K
M R A S N D K N W O L C I P N
W L I J A M O O Z L V A E C I
O D N L M T C R X Y F X O V G
N T A A E R E M R S P O C K H
S D M L V T A C P V C A Y D T
N L E V A Q T Y P J Y T C T W
A K R R C O N M W T S O H G M
S W I T C H A M G O R I L L A
D P C J B E S U O W F M Q A S
O V A I B A T M A N C U V X L
```

ALADDIN	KNIGHT
BATMAN	MR SPOCK
CAPTAIN AMERICA	MUMMY
CAVEMAN	PIRATE
CLOWN	SANTA
COWBOY	SKELETON
FAIRY	SNOWMAN
GHOST	TEDDY BEAR
GORILLA	VIKING
HIPPY	WITCH

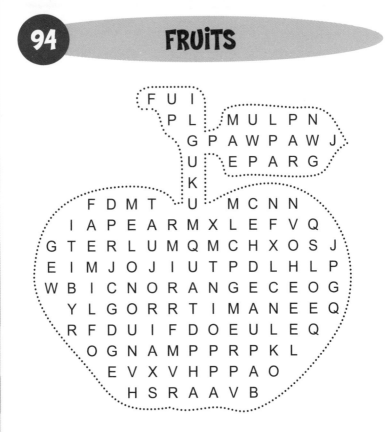

```
        F U I
          P L   M U L P N
            G P A W P A W J
            U   E P A R G
            K
      F D M T   U   M C N N
      I A P E A R M X L E F V Q
    G T E R L U M Q M C H X O S J
    E I M J O J I U T P D L H L P
    W B I C N O R A N G E C E O G
      Y L G O R R T I M A N E E Q
      R F D U I F D O E U L E Q
        O G N A M P P R P K L
          E V X V H P P A O
            H S R A A V B
```

AKEE
APPLE
DATE
FIG
GRAPE
GUAVA
KUMQUAT
LIME
MANGO
MELON

NECTARINE
ORANGE
PAWPAW
PEACH
PEAR
PLUM
POMELO
PRUNE
SLOE
UGLI

```
N O A W Q C W F G M U F F I N
O X E N W O R B H S A H Q J Z
R Y T B A C O N R Z B E A U E
A F O J D D Z E L T A G N M O
N C P G L C P M G O K A S J T
G M O S U P H A R A E S W B N
E J A B I R F R V S D U L L A
J R C K J Y T M O T B A R H S
U M H L T O M A T O E S G N S
I A E F A C V L K X A D C C I
C J D Y B E Q A H O N E Y X O
E D E W R W R D S M S F O Z R
X X G O E G K E D G E R E E C
C A G D A L E D C C O N C E F
R O K V D M D O F A B R T B G
```

BACON
BAKED BEANS
BREAD
CEREAL
CROISSANT
HAM
HASH BROWN
HONEY
JAM
KEDGEREE

KIPPERS
MARMALADE
MUFFIN
ORANGE JUICE
POACHED EGG
SAUSAGE
TEA
TOAST
TOMATOES
YOGURT

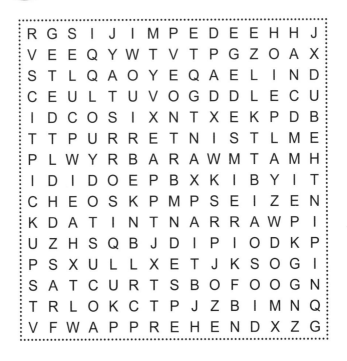

```
R G S I J I M P E D E E H H J
V E E Q Y W T V T P G Z O A X
S T L Q A O Y E Q A E L I N D
C E U L T U V O G D D L E C U
I D C O S I X N T X E K P D B
T T P U R R E T N I S T L M E
P L W Y R B A R A W M T A M H
I D I D O E P B X K I B Y I T
C H E O S K P M P S E I Z E N
K D A T I N T N A R R A W P I
U Z H S Q B J D I P I O D K P
P S X U L L X E T J K S O G I
S A T C U R T S B O F O O G N
T R L O K C T P J Z B I M N Q
V F W A P P R E H E N D X Z G
```

APPREHEND

BOOK

CUSTODY

DETAIN

ENGAGE

FIX

HOLD

IMPEDE

INTERRUPT

JAIL

NIP IN THE BUD

OBSTRUCT

PICK UP

PRISON

SECURE

SEIZE

STAY

STOP

TAKE

WARRANT

```
A T G N I K C O T S O O X M S
W S Q R A T S G N I D I U G H
I G A T O Y P H D A C O H A E
X N O L H L R G H Q U A E M P
K Y S C O O N A D N P H G E H
S X Z D H H C B M P Q F A L E
N N A B P H C G Y M D Q S S R
S T I U E H F I N A A H W O D
K L P B S J B Z N I Z A A P S
X N E X O R J G M T D M I L L
T C A I J A E O G D N D S B O
Z H I T G L C G L R T I U R L
C O E D N H D I F E G N A P Y
T I R M Z A N H L J E S U S Y
J R K I N G S B S L L E B W X
```

ANGEL	MARY
BELLS	OXEN
CHOIR	PUDDING
GUIDING STAR	SAINT NICHOLAS
HALO	SANTA
HAPPY	SHEPHERDS
HOLY	SLEIGH
JESUS	STOCKING
JOSEPH	SWADDLING
KINGS	TOYS

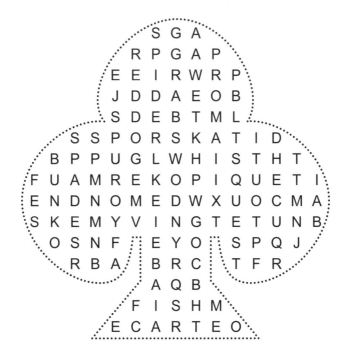

```
          S G A
          R P G A P
        E E I R W R P
        J D D A E O B
        S D E B T M L
      S S P O R S K A T I D
      B P P U G L W H I S T H T
    F U A M R E K O P I Q U E T I
    E N D N O M E D W X U O C M A
    S K E M Y V I N G T E T U N B
      O S N F E Y O S P Q J
        R B A B R C T F R
            A Q B
          F I S H M
        E C A R T E O
```

BRAG	POKER
BUNKO	RED DOG
DEMON	SKAT
ECARTE	SNAP
FARO	SOLO
FISH	SPADES
GRAB	SPIDER
HI-LOW	STOP
OMBRE	VINGT-ET-UN
PIQUET	WHIST

```
C Y R V A P V L Y T B J Z R M
C E D N C T L I N B E Z X I E
O S J W C A I W Y G T E K U I
M Y I K O L W M S Y G W M L V
P V S Q R L R E R H M P Y F H
R I Z H D Y T I V E T A A A A
O T C A R T N O C I P C E V Z
M O E G L F R M U X C D H K S
I G E E O K U S O E V I C G E
S W R M A T C H D Z R W O N J
E Q G Z U S N E B X T O N O A
T N A N E V O C T I K L S S Q
Z T I Y X N C S F U D L E I Y
C T Y S D E C I D E X A N N I
E U L B I N D I N G Y S T U A
```

ACCEDE	DECIDE
ACCORD	MATCH
AGREE	MEET
ALLOW	PERMIT
BINDING	SETTLE
COMPROMISE	SUIT
CONCUR	TALLY
CONSENT	UNISON
CONTRACT	UNITE
COVENANT	YIELD

```
Y A B R M J E J U A R A I F M
I I A M U F L E N I A R K U O
Q B H A J S Q E C N A R F G D
I R Y B P J S Q P O Z Y P K G
X E Z A A N K I E T V R K P N
O S I Y S I O U A S P A I T I
J N K V A R N R V E K G O L K
N D B P B I Q E W D H N W I D
Y A N W L E R X V A Z U D Q E
E L N A R P L T F O Y H N I T
C A A D L H P G S S L N A E I
E T D T O O J U I U P S L X N
E L N B I R P U V U A D E A U
R A B E L A R U S A M D C H F
G M P N V O S A N M A R I N O
```

ANDORRA	MALTA
AUSTRIA	NORWAY
BELARUS	POLAND
BELGIUM	RUSSIA
ESTONIA	SAN MARINO
FRANCE	SERBIA
GREECE	SLOVENIA
HUNGARY	SPAIN
ICELAND	UKRAINE
ITALY	UNITED KINGDOM

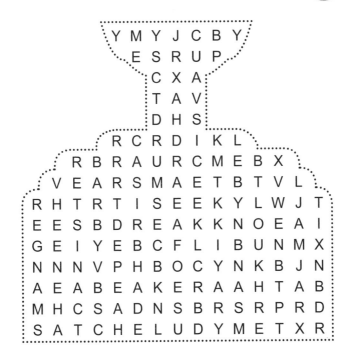

```
    Y M Y J C B Y
    E S R U P
    C X A
    T A V
    D H S
  R C R D I K L
  R B R A U R C M E B X
  V E A R S M A E T B T V L
R H T R T I S E E K Y L W J T
E E S B D R E A K K N O E A I
G E I Y E B C F L I B U N M X
N N N V P H B O C Y N K B J N
A E A B E A K E R A A H T A B
M H C S A D N S B R S R P R D
S A T C H E L U D Y M E T X R
```

BATH

BEAKER

BOWL

BRIEFCASE

BUNKER

CANISTER

CASKET

CRATE

DRUM

DUSTBIN

HAVERSACK

JAMJAR

MANGER

PURSE

RAMEKIN

SATCHEL

TANKARD

TEA CHEST

THIMBLE

TRAY

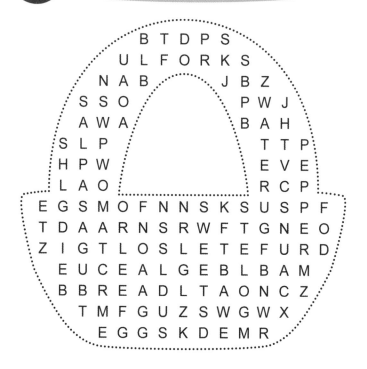

```
        B T D P S
      U L F O R K S
    N A B     J B Z
  S S O       P W J
  A W A       B A H
S L P           T T P
H P W           E V E
L A O           R C P
E G S M O F N N S K S U S P F
T D A A R N S R W F T G N E O
Z I G T L O S L E T E F U R D
E U C E A L G E B L B A M
B B R E A D L T A O N C Z
  T M F G U Z S W G W X
    E G G S K D E M R
```

APPLE

BOWL

BREAD

BUNS

EGGS

FLASK

FORKS

FRUIT

GATEAU

HAM ROLLS

LETTUCE

MUGS

ORANGE

PATE

PEPPER

SALAD

SALT

SPOONS

SWEETS

WATER

```
S N L W G L J G F I Y L Q Y L
E Y R R N P V B N W A Y S O C
L D E R I T M U A I O F A U A
P T G F R T A A I T H B E O L
G M R O O L X T L P H S C J M
K R D L N I M T X L L O A K A
M C R T S U X H S R C Q L W X
A P O A S Q B L A N K E T A A
T S Q L F W S H M W O L L I P
T O S L C B Z X A H W E P A W
R X Y N H M Z I J U R G C H A
E C L R O Z R Q Y S W O R D U
S X J E N O U A P R A Y E R S
S M D S O S Z W L P M D B W Y
E L T T O B R E T A W T O H P
```

ALARM CLOCK
BATH
BLANKET
COCOA
COSY
DROWSY
HOT-WATER BOTTLE
LAMP
MATTRESS
PILLOW

PRAYERS
PYJAMAS
QUILT
RELAX
REST
SNOOZE
SNORING
TIRED
WASHING
YAWN

```
B V W H O I P L L G O R V Y X
E D F O F I I P N G U J K U Y
S E F G Q C R I E O C Y X A W
E S O I D A T E Z H D M D M A
E P G W K R T E E E D D U A
I A N N A B N L E H O C R E R
N T I P I T A P N O C E R G R
G C T C L V S W G O V A O A I
Y H T V Q D A Y E O Z A A Y V
O B E S O E E I N I Q P O E
U Y S G X V L R L C P V K V D
Y E M T R A P U E I D A R N E
K B X B A W G O O D B Y E O R
B Y D D O T O O D L E O O B C
K E H D S F A L T A S H K I I
```

ADIEU

ADIOS

ARRIVEDERCI

AU REVOIR

BE SEEING YOU

BON VOYAGE

BYE-BYE

CHEERIO

CIAO

DESPATCH

GODSPEED

GOODBYE

GOOD DAY

LEAVING

PARTING

PLEASANT TRIP

SETTING OFF

TA-TA

TOODLE-OO

WAVE

SOLUTIONS

1

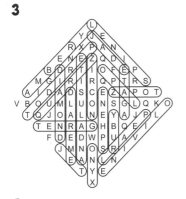

2

3

4

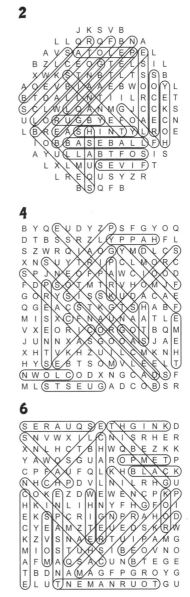

5

6

SOLUTIONS

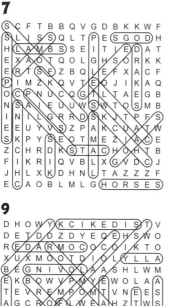
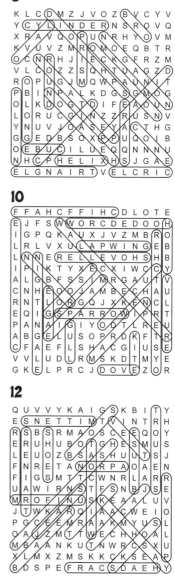

7

8

9

10

11

12

SOLUTIONS

13

14

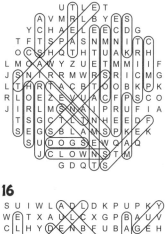

15

16

17

18

SOLUTIONS

19

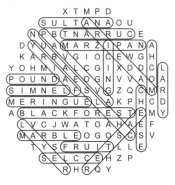

20

21

22

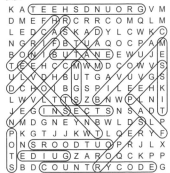

23

24

SOLUTIONS

25

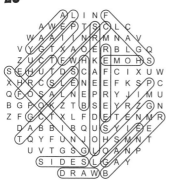

26

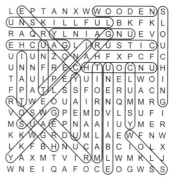

27

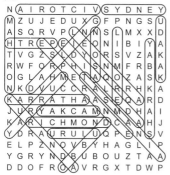

28

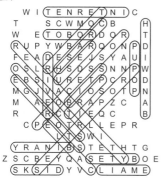

29

30

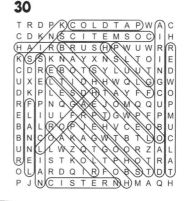

SOLUTIONS

31

32

33

34

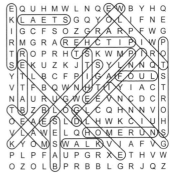

35

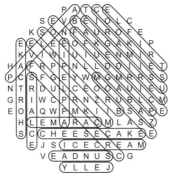

36

SOLUTIONS

37

38

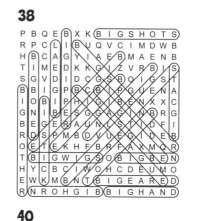

39

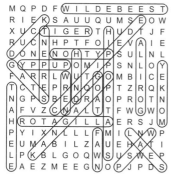

40

41

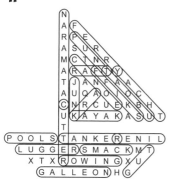

42

SOLUTIONS

43

44

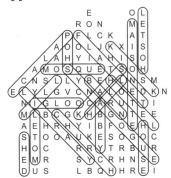

45

46

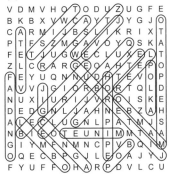

47

48

118

SOLUTIONS

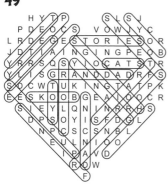

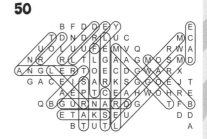

51

52

53

54

SOLUTIONS

55

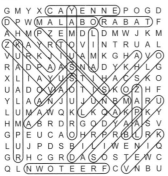

```
G M Y X C A Y E N N E P O G D
D P W M A L A B O R A B A T F
A H M P Z E M D L D M W J K M
Z K A Y R T O V I N T R U A L
V U R K J I U A M K G H A Y O
R A D P A A S N A D Y K H L G
X L I A Y U S T I H A C S K O
U A D O V A O T I S K O Z H F
Y L A A N J U J U N B M A R U
L U M A W Q K L K C A K P K Y
H M A B R D R G O D Y A A S V
G P E U C A O H R P R B L R K
L U J P D S B I L I W E N I Q
G R H C G R D A S O S T E W C
Q L N W O T E E R F C V N B U
```

56

```
M Z A P Z A L O C A T A U L X
E H O N B O D C Q I Q W Z A N
N D F E V T Y R J F L I N T I
H B I E D O M H T L B E E W H
I T N T N E M H C T A P R G P
R S Y E V R U S E Z X Y I A S
F H W U H J M D I H Y W L T X
E J E X X G D L A I C A L G S
H P G R P N S I B T E L P L N
P L A M L E E E M O I I C G Q
P G N I G G I D A D N R C W
N Q O F L B N I D C R I G I Q
S L R X F K T N P I R Y T P G
X T I W K H S T U H M I P C H
N R F K M S G B V X U Z C Z H
```

57

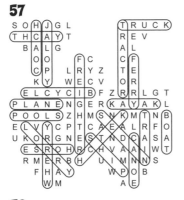

```
S O H J G L         T R U C K
T H C A Y T         R E V
  B A L G           A L
  O O         F C   C F
  C P       L R Y Z T E
  K Y       W E C V O R
  E L C Y C I B F Z R R L G T
P L A N E N G E R K A Y A K L
P O O L S Z H M S N K M T N B
E L V Y C P T C A E A L R F O
U K O R G N E S T N D C A S A
  E S R O H R C H V A A I W T
  R M E R B H U I M N N S
  F H A Y       W P O B
  W M           A E
```

58

```
S S H X D X T L G C B C G B V
R V Y U Z K M U R Y E N R E C
E J F M U Y S A B J I A R P
T B U E T B O A Y Y E X B K M
S U B A T T O C I R J A E S A
E N R O C A D L E S T J T W S
C D I L P V F B D B V U T E C
I U A X T M X O O T A A O L A
E O C N E V E D A M F C V L P
L A O L L U N T O E U C A E P
D Y F R O H I O Y I A G T O
E K D E B U L J J R R P D E N
R I H Y R P O S H A R P A M E
S U I B M O O Q G Y Q R Y S Y
F L T C H E D D A R E B S E H
```

59

```
U Y L A X N A W K I N I R T O
W N Y E I L R A H C S O N L V
H A G Z U D O N N A J X C D
M U A I N F V A E N T A Q E Y
E T Z T R J K R I S D Q H S F
Z D J R R S A N U Y L I L T O
T Y Z O N N R J G L S T N R N
E L B E G H O W G M N R J O C
Y K Y S Z B N I A E A S C O N
D A S O O R E D R O F A R I K
E I K R F E Z A O W O C W N C
Y C S X W H H H U S H S A S
I H B W Q M G T A S T Y F A S
X E X Y P C W O B N A E L H E
I N D L S U F D H E E F H A Y
```

60

```
Y R R E B K C A L B Z D R J G
T E Q Z K F R U I T S P I Q N
M W L H D X R M J X H E S R I
Z F V L J Z F O J F E J D R L
M I S T O Y J A S T A H E G T
K O O T S W M M R T E M E X U
Q S R V S M L K E H M R S Z C
C P F R A C S B T U K R A L M
P H N K Y J Y R S S T N P I J
Y C I L Y C O N A O Q W P C N
Q N E L F A A P X X E Z L G A
G N Z G L I S T O R M Y E N S
E K T G D Y V L L A F A S Z P
W Z J N P S Z I U S M T X O F
N H I C H E S T N U T S Q P Y
```

120

SOLUTIONS

61

62

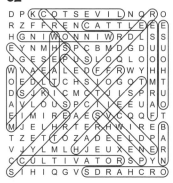

63

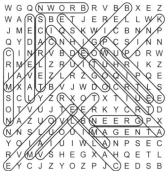

64

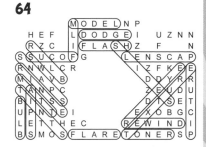

65

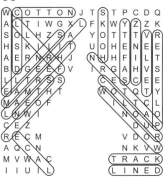

66

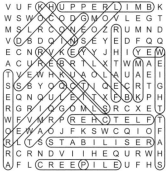

SOLUTIONS

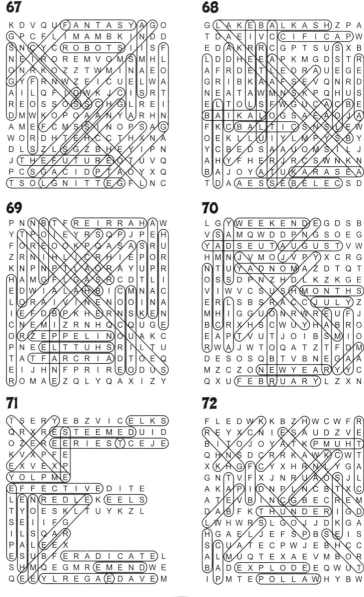

67

68

69

70

71

72

73

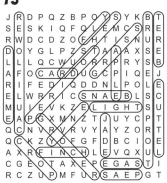

74

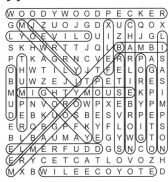

75

76

77

78

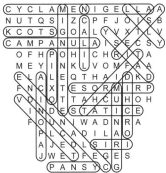

SOLUTIONS

79

80

81

82

83

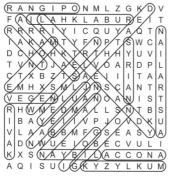

84

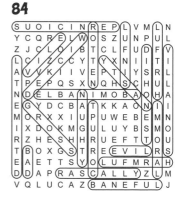

SOLUTIONS

85

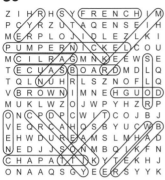

86

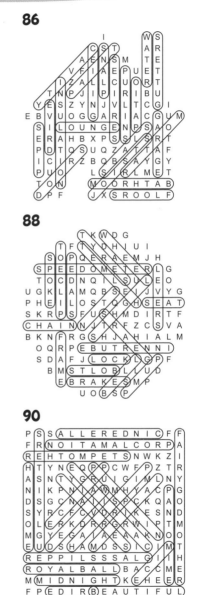

87

88

89

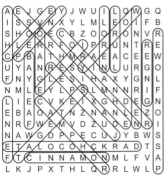

90

SOLUTIONS

91

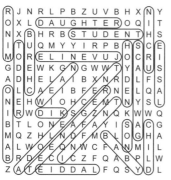

92

93

Y U O A P Z N H B V P G H Z D
N I C G N I K I V U B I L F C
Q R A Z G Z H L N B P Y G V W
N Z P U F Z R I R P O H G X Y
A R T T E D D Y B E A R R K
M R A S N D K N W O L C I P H
W L I J A M O O Z L V A E C I
O D N L M T C R X Y F X O V G
N T A A E R E M R S P O C K H
S D M L V T A C P V C A Y D T
N L E V A Q T Y P J Y T C T W
A K R C O N M W T S O H G M
S W I T C H A M G O R I L L A
D P C J B E S U O W F M Q A S
O V A I B A T M A N C U V X L

94

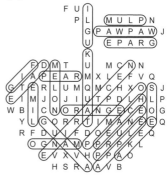

95

N O A W Q C W F G M U F F I N
O X E N W O R B H S A H Q J Z
R Y T B A C O N R Z B E A U E
A F O J D D Z E L T A G N M O
N C P G L C P M G O K A S J T
G M O S U P H A R A E S W B A
E J A B R F R V S D U L L A
J R C K J Y T M O T B A R H S
U M H L T O M A T O E S G N S
M E F A C V L K X A D C C I
C J D B E Q A H O N E Y B U J
E D E W R W R D S M S F O Z X
X X G O E G K E D G E R E E C
C A G D A L E D C C O N C E F
R O K V D M D O F A B R T B G

96

R G S I J I M P E D E E H H J
V E E Q Y W T V T P G Z O A X
S T L Q A O Y E Q A E L I N D
C E U L T U V O G D D L E C U
I D C O S I X N T X E K P D B
T P U R R E T N I S T L M E
P L W Y R B A R A W M T A M H
I D I D O E P B X K J B Y I T
C H E O S K P M P S E I Z E N
K D A T I N T N A R R A W P I
U Z H S Q B J D I P I O D R P
P S X U L L X E T J K S O G I
S A T C U R T S B O F O O G N
T R L O K C T P J Z B X M N Q
V F W A P P R E H E N D X Z G

126

SOLUTIONS

97

98

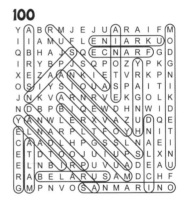

99

100

101

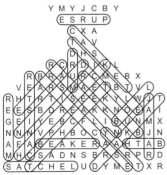

102

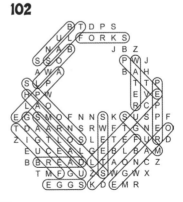

SOLUTIONS

103

104

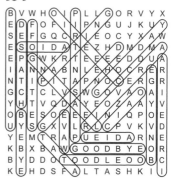